D1096768

La passion

Du même auteur

Écrit sur le corps
Éditions Plon, 1993

Le Sexe des cerises
Éditions Plon, 1995
Points, n° P3034

Art et mensonges
Éditions Plon, 1998

Powerbook
Éditions de l'Olivier, 2002

Les oranges ne sont pas les seuls fruits
Éditions des Femmes, 2003
Éditions de l'Olivier, 2012
Points « Signatures », n° P3033

Garder la flamme
Éditions Melville, 2006

Pourquoi être heureux quand on peut être normal ?
Éditions de l'Olivier, 2012
Points, n° P3075

JEANETTE WINTERSON

La passion

traduit de l'anglais
par Isabelle D.Philippe

édition révisée

ÉDITIONS DE L'OLIVIER

L'édition originale de cet ouvrage
a paru chez Bloomsbury Publishing Ltd en 1987,
sous le titre : *The Passion.*

Une première édition française de cet ouvrage
a paru en 1989 aux Éditions Robert Laffont
sous le titre : *La Passion de Napoléon.*

La citation en exergue
est extraite de *Médée* d'Euripide,
dans une traduction d'Henri Berguin.

ISBN 978.2.8236.0232.6

Pour Pat Kavanagh.

Avec mes remerciements à Don et à Ruth
dont l'hospitalité m'a donné un espace où travailler.
Merci à tous ceux de chez Bloomsbury,
surtout à Liz Calder.
Et je remercie Philippa Brewster de sa patience.

Pour toi, loin des demeures paternelles
tu as vogué, le cœur en délire,
et franchi les rochers jumeaux
qui bornent le Pont-Euxin.
Tu habites une terre étrangère…
Médée

Un
L'empereur

C'était Napoléon qui avait une telle passion pour la volaille qu'il faisait travailler ses chefs vingt-quatre heures sur vingt-quatre. Il fallait voir la cuisine, avec ces volatiles dans tout l'apparat de la petite tenue ; certains encore froids et pendus à des crochets, d'autres qui tournaient lentement sur la broche, mais la plupart bons à jeter aux ordures parce que l'Empereur était occupé.

Curieux d'être autant esclave de sa gourmandise.

C'était mon premier brevet militaire. Je débutais en leur tordant le cou et sous peu, les pieds dans la boue, je fus chargé de charrier le plat jusqu'à sa tente. Il m'aimait bien parce que je suis menu. Je m'en félicite. Il ne me détestait pas. Lui qui n'aimait personne hormis Joséphine, qu'il aimait comme il aimait la volaille.

Personne de plus d'un mètre cinquante-sept n'a jamais servi l'Empereur. Il s'entourait de serviteurs petits et de chevaux immenses. Son cheval préféré mesurait dix-sept paumes au garrot avec une queue qui pouvait faire trois fois le tour d'un bonhomme, plus une perruque pour sa maîtresse. Ce cheval avait le mauvais œil, et il y eut presque autant de cadavres de palefreniers dans les stalles que de poulets sur la table. Ceux que la brute ne tuait pas elle-même d'une tranquille ruade, son maître s'en était débarrassé parce que sa robe ne brillait pas ou que le mors était vert-de-gris.

« Tout nouveau régime doit éblouir et ébahir », répétait-il. Du pain et des jeux, pensais-je, qu'il voulait dire. Rien de surprenant alors si, quand nous dénichâmes enfin un palefrenier, ce dernier venait lui-même d'un cirque et ne dépassait pas le flanc du cheval. Lorsqu'il bouchonnait la bête, il utilisait un escabeau plus large du bas que du haut, mais quand il la montait pour l'exercice il faisait un énorme bond et atterrissait sur le dos luisant, tandis que le cheval se cabrait et renâclait sans pouvoir le désarçonner, pas même avec ses naseaux dans la terre et ses postérieurs levés vers Dieu. Puis ils disparaissaient derrière un rideau de poussière et chevauchaient pendant des milles, le nain cramponné à la crinière et vociférant dans son drôle de baragouin auquel aucun d'entre nous ne comprenait rien.

En revanche, lui comprenait tout.

Il faisait rire l'Empereur et le cheval n'arrivait pas à le dominer, aussi resta-t-il. Moi aussi je suis resté. Et nous sommes devenus amis.

Un soir, nous étions dans la tente des cuisines quand la cloche se mit à sonner comme si le Diable en personne se trouvait à l'autre bout. Nous sautâmes tous sur nos pieds, et l'un se précipita vers la broche, pendant qu'un autre crachait sur l'argenterie et que je renfilais mes bottes, prêt pour mon excursion au milieu des ornières gelées. Le nain s'esclaffa et déclara qu'il préférait affronter la monture que le maître, mais cela ne nous fit pas rire.

Voici la bête décorée du persil que le cuisinier cultive dans le casque d'un mort. Dehors les flocons sont si drus que je me fais penser au petit personnage des tempêtes de neige pour enfants. Il me faut plisser des yeux pour repérer le halo jaune qui éclaire la tente de Napoléon. Nul autre ne peut avoir de lumière à cette heure de la nuit.

Le combustible est rare. Toute son armée ne dispose pas de tentes.

Quand j'entre, il est assis seul, un globe terrestre devant lui. Il ne me remarque pas, continue de tourner et de retourner le globe, qu'il tient tendrement entre ses mains comme si c'était un sein. Je toussote, alors il lève soudain les yeux, le visage empreint de peur.

– Pose ça là et va-t'en.

– Voulez-vous que je vous la découpe, monsieur ?

– Je me débrouillerai. Bonsoir.

Je sais ce qu'il entend par là. Il me le demande rarement à présent. Dès que je serai sorti, il soulèvera le couvercle, s'emparera du contenu et se le fourrera dans le bec. Il aimerait que sa figure ne soit qu'une bouche pour y enfourner une volaille entière. Au matin, j'aurai de la chance si je retrouve la carcasse.

Il n'y a pas de chaleur, uniquement des degrés dans le froid. J'ai oublié la sensation du feu contre mes genoux. Même à la cuisine, le coin le plus chaud de n'importe quel campement, la chaleur est trop ténue pour se diffuser et les poêlons de cuivre s'embuent. Je retire mes bas une fois par semaine afin de me couper les ongles des pieds et les autres me traitent de dandy. Nous sommes blancs avec des nez rouges et des doigts bleus.

Les tricolores.

Il fait ça pour garder ses poulets au frais.

Il se sert de l'hiver comme d'un garde-manger.

Mais c'était il y a longtemps. En Russie.

De nos jours les gens parlent des choses qu'il a faites comme si elles avaient un sens. Comme si même ses erreurs les plus désastreuses n'étaient l'effet que de la malchance ou de la démesure.

C'était la chienlit.

Des mots comme dévastation, viol, massacre, carnage, famine sont des mots clés pour tenir le malheur en respect. Des mots touchant la guerre qui sont plaisants à l'œil.

Je vous en raconterai, des histoires. Faites-moi confiance.

Je voulais être tambour.

Le sergent recruteur me donna une noix et demanda si je pouvais la casser entre le pouce et l'index. J'en fus incapable et il ricana en disant qu'un tambour devait avoir des mains de fer. Je tendis ma paume, la noix posée dessus, et lui retournai le défi. Il s'empourpra et me fit conduire aux tentes des cuisines par un lieutenant. Le cuisinier jaugea ma frêle carrure et estima que je n'avais rien d'un dépeceur. Guère pour moi l'ordinaire de viande innommable qu'il fallait débiter pour le rata quotidien. Il dit que j'avais de la chance, que je travaillerais directement sous les ordres de Napoléon et, durant un fulgurant instant, je m'imaginai apprenti pâtissier en train de monter de délicates tours de sucre et de crème. Nous marchâmes en direction d'un petit pavillon avec deux gardes impassibles à l'entrée.

– Le magasin personnel de Bonaparte, annonça le cuisinier.

Du sol au dôme de toile, l'espace était bourré de grossières cages de bois d'un pied carré environ, entre lesquelles couraient d'étroites galeries, d'à peine la largeur d'un homme. À l'intérieur de chaque cage, il y avait deux ou trois volatiles, becs et griffes tranchés, qui regardaient fixement à travers les lattes avec d'identiques yeux stupides. Je ne suis pas un poltron et à la ferme j'ai vu pas mal de mutilations utilitaires, mais je n'étais pas préparé au silence. Pas même un bruissement. Ils auraient pu, ils auraient dû être morts, n'étaient leurs yeux. Le cuisinier tourna les talons.

– Ta tâche consiste à les trier et à leur tordre le cou.

Je filai jusqu'aux quais, et comme la pierre était tiède en ce début d'avril et que je voyageais depuis des jours, je m'endormis en rêvant de tambours et d'un uniforme rouge. Ce fut une botte qui me réveilla, dure et brillante avec une familière odeur de selle. Je levai le nez et la vis posée sur mon ventre comme la noix posée au creux de ma paume. Sans me regarder, l'officier dit :

– Maintenant que te voilà soldat, tu auras souvent l'occasion de dormir en plein air. Debout.

Il prit son élan et, au moment où je me relevais tant bien que mal, me donna un bon coup de pied, puis, regardant toujours droit devant lui, il ajouta :

– Les fesses dures, c'est déjà ça.

J'eus vent de sa réputation assez tôt, mais il ne m'importuna jamais. Je pense que le fumet de basse-cour le tenait à distance.

J'eus le mal du pays dès le début. Me manquait ma mère. Me manquait le coteau d'où le soleil tombe de biais dans la vallée. Me manquaient toutes les choses quotidiennes que j'avais haïes. Au printemps, chez nous, les pissenlits émaillent les prés et la rivière coule paresseusement après des mois de pluie. Quand le service de recrutement passa, ce fut notre vaillante bande qui affirma en riant qu'il était temps pour nous de voir autre chose que la grange rouge et les veaux que nous avions élevés. Nous nous engageâmes sur-le-champ et ceux d'entre nous qui ne savaient pas écrire apposèrent un pâté optimiste au bas de la page.

Notre village organise un feu de joie chaque année à la fin de l'hiver. Nous l'édifions depuis des semaines, aussi haut qu'une cathédrale avec une flèche blasphématoire de pièges démolis et de paillasses infestées. Il y aurait vin et danses à volonté, ainsi qu'amourette dans l'obscurité et, parce que nous partions, nous eûmes le droit de l'allumer. Comme le soleil déclinait, nous plongeâmes nos cinq tisons ardents dans le cœur du bûcher. Ma bouche se dessécha lorsque j'entendis le bois qui prenait et craquait jusqu'au moment où la première flamme se fraya un chemin à l'air libre. Je regrettai alors de ne pas être un saint homme avec un ange qui me protège en sorte que je puisse sauter dans le feu et voir mes péchés s'évanouir en fumée. Je vais bien à confesse, mais il n'y a aucune ferveur là-dedans. Faites-le de bon cœur ou pas du tout.

Nous sommes un peuple indolent malgré tous nos jours de fête et notre dur labeur. Pas grand-chose ne nous émeut, mais nous ne demandons qu'à être émus. La nuit nous restons éveillés dans l'espoir que les ténèbres s'écartent pour nous dévoiler quelque vision. Nos enfants nous effraient dans leur intimité, mais nous veillons à ce qu'ils grandissent à notre image. Aussi indolents que nous. Par une soirée pareille, les mains et la figure en feu, il nous est loisible de croire que demain nous réservera des anges en pots et que les bois archiconnus révéleront soudain une nouvelle sente.

La dernière fois que nous avons fait ce feu de joie, un voisin voulut arracher les planches de sa maison. Il disait que ce n'était qu'un tas puant de fumier, de viande séchée et de vermine. Il disait qu'il allait brûler le tout. Son épouse s'agrippait à ses bras. C'était une forte femme, habituée à la baratte et aux travaux des champs, mais elle ne réussit pas à l'arrêter. Il cogna sur le bois sec jusqu'à ce que sa main ressemblât à une tête d'agneau écorché. Ensuite il resta couché toute la nuit devant le feu, jusqu'à ce que la brise matinale le recouvre de cendres tièdes. Jamais il n'en reparla. Jamais on n'en a reparlé. Il ne vient plus au feu de joie.

Parfois je me demande pourquoi aucun d'entre nous n'a eu le geste de le retenir. Je crois que nous désirions secrètement qu'il le fasse, qu'il le fasse à notre place. Qu'il démantèle nos existences aux heures interminables et nous permette de recommencer. Purs et innocents, les mains libres. Mais il ne devait ni ne pouvait en être ainsi quand Napoléon embrasait la moitié de l'Europe.

Mais quel autre choix avions-nous ?

Le matin arriva et nous décampâmes avec notre paquetage de pain et de fromage fait. Il y eut des larmes chez les femmes tandis que les hommes nous tapaient dans le dos en disant que l'armée, c'est la belle vie pour un garçon. Une petite fille qui me suivait partout se suspendit à ma main, les sourcils froncés d'inquiétude.

– Est-ce que tu vas tuer des gens, Henri ?

Je me laissai tomber à sa hauteur.

– Pas des gens, Louise. Seulement l'ennemi.

– Qu'est-ce que c'est, l'ennemi ?

– Quelqu'un qui n'est pas de ton camp.

Nous faisions route pour rejoindre l'armée d'Angleterre à Boulogne. Boulogne, un somnolent petit port de rien du tout avec une poignée de bordels, devint tout à coup le tremplin de l'Empire. À une trentaine de kilomètres à peine, visible par temps clair, il y avait l'Angleterre et son arrogance. Nous connaissions les Anglais, savions qu'ils dévoraient leurs enfants et ignoraient la Sainte Vierge. Qu'ils se suicidaient avec une insolente allégresse. Les Anglais avaient le taux de suicide le plus élevé d'Europe. J'ai appris cela de la bouche même d'un prêtre. Les Anglais avec leur bœuf et leur bière mousseuse à la John Bull[1]. Les Anglais qui aujourd'hui encore barbotent dans les eaux au large du Kent pour s'entraîner à noyer la meilleure armée du monde.

Nous devons envahir l'Angleterre.

La France entière sera mobilisée si nécessaire. Bonaparte pressera son pays comme une éponge, jusqu'à la dernière goutte.

Nous sommes amoureux de lui.

À Boulogne, bien que j'aie perdu tout espoir de battre un jour le tambour, le front haut, en tête d'une fière colonne, je garde quand même le front haut parce que je sais que je verrai Bonaparte en personne. Il arrive en trombe des Tuileries et observe les flots à la façon dont un homme du commun surveille son tonneau d'eau de pluie. Domino le nain prétend qu'être à côté de lui équivaut à recevoir une grande rafale de vent dans les oreilles. Il affirme que c'est ce que dit Mme de Staël, et elle est

1. Créé par le pamphlétaire J. Arbuthnot en 1712 et popularisé par le journal satirique *The Punch*, le personnage de John Bull, « Jean Taureau », représente le peuple anglais. *(Toutes les notes sont de la traductrice.)*

assez célèbre pour avoir raison. Actuellement elle n'habite plus la France. Bonaparte l'a forcée à l'exil parce qu'elle lui reprochait de censurer le théâtre et de supprimer les journaux. Dans le temps, j'ai acheté un de ses livres à un colporteur de passage qui lui-même le tenait d'un noblaillon loqueteux. Je n'ai pas compris grand-chose, mais j'ai découvert le terme d'« intellectuel » que j'aimerais bien appliquer à moi-même.

Domino se gausse de moi.

La nuit, je rêve de pissenlits.

Le cuisinier détacha un poulet du crochet au-dessus de sa tête et pêcha une poignée de farce dans le saladier en cuivre.

Il sourit.

– Descente en ville ce soir, les gars, pour une soirée mémorable, j'en jurerais. (Il fourra la farce dans la volaille, tordant le poignet afin d'égaliser sa préparation.) Vous avez tous déjà connu une femme, je pense ?

La plupart d'entre nous rougirent et quelques-uns gloussèrent.

– Si ce n'est pas le cas, alors il n'existe rien de plus doux, et si c'est le cas, eh bien, avec le temps même Bonaparte ne change pas de goût.

Il offrit le poulet à notre approbation.

J'avais espéré rester là en compagnie de la Bible de poche que m'avait donnée ma mère avant mon départ. Ma mère aimait Dieu, elle disait que Dieu et la Vierge lui suffisaient, bien qu'elle se félicitât de sa famille. Je l'avais vue s'agenouiller avant l'aube, avant la traite, avant la bouillie épaisse, et chanter Dieu à pleine voix, Dieu qu'elle n'avait jamais vu. Nous sommes plus ou moins religieux dans notre village et nous vénérons notre curé qui parcourt douze kilomètres pour nous apporter l'hostie, mais cela ne nous brise pas le cœur.

Saint Paul disait qu'il valait mieux se marier que de brûler, mais ma mère m'a enseigné qu'il vaut mieux brûler que de se marier. Elle voulait être nonne. Elle espérait que je serais prêtre et économisait pour me donner de l'instruction alors que mes camarades tressaient des cordages ou suivaient la charrue.

Je ne peux pas être prêtre parce que, quoique mon cœur soit aussi vibrant que le sien, je ne peux me targuer d'une foule de réponses. J'ai imploré Dieu et la Vierge, mais ils ne m'ont jamais répondu et je ne me contente pas de la petite voix silencieuse. Un dieu peut répondre à la passion par la passion, non ?

Elle affirme qu'il le peut.

Alors il le doit.

S'ils n'étaient pas riches, les parents de ma mère étaient des gens respectables. Elle fut élevée simplement, dans la musique et la littérature bien-pensante, et on ne parlait jamais de politique à table, même lorsque les insurgés enfonçaient les portes. Sa famille était monarchiste. À douze ans, elle leur annonça qu'elle voulait être religieuse, mais ils abhorraient tout excès, et lui assurèrent qu'elle s'épanouirait davantage dans le mariage. Elle grandit en secret, loin de leurs yeux. Extérieurement elle était docile et aimante, mais en son for intérieur elle nourrissait une aspiration qui les aurait dégoûtés, si le dégoût n'était pas en soi un excès. Elle lisait les vies des saints et connaissait la Bible quasiment par cœur. Elle croyait que la Sainte Vierge lui viendrait en aide le moment venu.

Le moment vint quand elle eut quinze ans, à un marché aux bestiaux. Toute la ville était dehors pour admirer les bœufs imposants et les moutons au cri grêle. Son père et sa mère étaient d'humeur folâtre et, dans un moment d'euphorie, le papa montra du doigt un homme corpulent et bien mis qui portait un enfant sur ses épaules. Il lui dit qu'elle ne pouvait espérer meilleur mari. Celui-ci devait dîner avec eux plus tard et souhaitait de tout son cœur que Georgette (ma mère) chante après souper. Pendant que la foule s'épaississait, ma mère se sauva, n'emportant que les vêtements qu'elle avait sur elle et la Bible qui ne la quittait jamais. Elle se cacha dans une charrette de foin et, sortant de la ville par cette soirée gorgée de soleil, traversa tranquillement la campagne paisible jusqu'à ce que son équipage atteignît mon village natal. Guère effarouchée, parce qu'elle croyait aux pouvoirs de la Vierge, ma mère se présenta à Claude (mon père) et lui demanda de la conduire au couvent le plus proche. C'était un homme à l'esprit épais mais rempli de bonté, de dix ans son aîné, et il lui offrit l'hospitalité pour la nuit, pensant la ramener chez elle le lendemain et toucher peut-être une récompense.

Elle ne retourna jamais chez elle et ne trouva jamais non plus de couvent. Les jours se transformaient en semaines, et elle craignait son père qui, d'après la rumeur, battait le pays et multipliait les prébendes dans les établissements monastiques où il passait. Trois mois s'écoulèrent et elle découvrit qu'elle avait la main verte et parvenait à calmer les animaux effrayés. Claude lui adressait à peine la parole et ne l'importunait jamais, mais parfois elle le surprenait en train de l'observer, immobile, sa main en visière sur les yeux.

Tard, une nuit, alors qu'elle dormait, elle entendit frapper à la porte et, allumant sa lampe, elle vit Claude sur le seuil. Il s'était rasé, avait revêtu sa chemise de nuit et embaumait le savon phéniqué.

– Veux-tu devenir ma femme, Georgette ?

Elle secoua la tête et il s'en alla, mais revint à la charge de temps à autre au fil des jours, toujours campé à la porte, rasé de près et embaumant le savon.

Elle finit par accepter. Elle ne pouvait retourner chez les siens. Elle ne pouvait pas entrer dans les ordres tant que son père soudoyait toutes les mères supérieures qui rêvaient d'un autel neuf, mais elle ne pouvait pas non plus continuer de vivre avec cet homme silencieux et ses bavards de voisins, à moins qu'il ne l'épousât. Il se coucha près d'elle, lui caressa la joue et, prenant sa main, la posa sur son visage. Elle n'avait pas peur. Elle croyait aux pouvoirs de la Vierge.

Après quoi, chaque fois qu'il la voulait, il frappait à sa porte exactement de la même façon et attendait qu'elle lui dît oui.

Puis je naquis.

Elle me parlait de mes grands-parents, de leur demeure et de leur piano, et une ombre voilait son regard quand elle songeait que je ne les verrais jamais, mais j'aimais mon anonymat. Dans le village, tous les autres avaient des chapelets de connaissances à qui chercher noise ou sur qui cancaner. Moi, j'inventais des histoires sur les miens. Ils étaient comme je voulais qu'ils soient, selon mon humeur.

Grâce aux efforts de ma mère et à l'érudition rouillée de notre curé, j'appris à lire ma langue maternelle, le latin et l'anglais ; j'appris aussi l'arithmétique, les rudiments des premiers secours et, comme, pour agrémenter son maigre revenu, le curé pariait et jouait, j'appris également tous les jeux de cartes, plus quelques tours. Je n'ai jamais dit à ma mère que le curé avait une Bible creuse avec un jeu de cartes caché à l'intérieur. Quelquefois, par méprise, il la prenait pour la messe et sa lecture était alors toujours tirée du premier chapitre de la Genèse. Ses ouailles pensaient qu'il affectionnait le récit de la création. C'était un brave homme, quoique indolent. J'aurais préféré l'ardeur d'un jésuite, peut-être qu'alors j'aurais trouvé l'extase à laquelle j'ai besoin de croire.

Je lui demandai pourquoi il s'était fait prêtre, et il me répondit que si l'on est obligé de travailler, un patron absent est l'idéal.

Nous allions à la pêche ensemble ; il me montrait du doigt les filles qui lui plaisaient et me conjurait d'y aller à sa place. Je ne l'ai jamais fait. Comme mon père, je me suis intéressé aux femmes sur le tard.

Quand je suis parti, mère n'a pas versé une larme. C'était Claude qui pleurait. Elle m'a remis sa petite Bible, celle qu'elle avait gardée durant tant d'années, et je lui ai promis que je la lirais.

Le cuisinier vit mon hésitation et me taquina avec une broche.

– Novice en la matière, p'tit gars ? N'aie pas peur. Ces filles, je sais qu'elles sont propres comme des sous neufs et aussi larges que les campagnes de France.

Je me suis donc préparé, me lavant des pieds à la tête au savon phéniqué.

Bonaparte, le Corse. Né en 1769, un Lion.

Petit, blafard, sombre, avec toujours un œil sur l'avenir et une étonnante faculté de concentration. En 1789, la révolution fit effraction dans un monde fermé, et pour une fois le plus misérable gamin des rues avait plus de chances de son côté que n'importe quel aristocrate. Pour un jeune lieutenant expert en artillerie, la conjoncture était favorable, et en quelques années le général Bonaparte transforma l'Italie en une nouvelle province de France.

– Qu'est-ce que la chance, disait-il, sinon la capacité d'exploiter les aléas de la vie ?

Il se croyait le centre de l'univers, et pendant longtemps rien ne put le faire changer d'avis. Pas même John Bull. Il était amoureux de lui-même et la France se mit au diapason. C'était une histoire d'amour. Peut-être toute histoire d'amour est-elle de cette nature : non pas un contrat entre parties égales, mais une explosion de rêves et de désirs qui ne trouvent pas d'exutoire dans la vie quotidienne. Seul un drame peut faire l'affaire, et tant que dure le feu d'artifice les cieux apparaissent d'une couleur différente. Il devint empereur. Il fit venir le pape de la Cité sainte pour le Couronnement, mais au dernier moment il prit la couronne entre ses mains et la posa lui-même sur son front. Il divorça de l'unique personne qui le comprenait, la seule qu'il eût jamais aimée, parce qu'elle ne put lui donner d'héritier. C'était l'unique épisode de son histoire d'amour dont il ne pouvait décider seul.

Il est tour à tour répugnant et fascinant.

Que feriez-vous si vous étiez empereur ? Les soldats deviendraient-ils de simples numéros ? Les batailles des diagrammes ? Les intellectuels une menace ? Finiriez-vous vos jours sur une île où la nourriture est saumâtre et la compagnie insipide ?

C'était l'homme le plus puissant du monde, et il n'arrivait pas à battre Joséphine au billard.

Je vous raconte des histoires. Faites-moi confiance.

Le bordel était tenu par une géante venue de Suède. Ses cheveux étaient du même jaune que les pissenlits et lui couvraient les genoux à la manière d'un tapis vivant. Elle avait les bras nus ; les manches de sa robe étaient relevées et accrochées par une paire de jarretières. Autour du cou, elle portait un lacet de cuir au bout duquel pendait une figurine de bois à la face camuse. Elle remarqua mes regards et, attirant ma tête contre elle, me força à la sentir. Je reconnus l'odeur du musc mêlée à des parfums de fleurs inconnues.

– Ça vient de Martinique, comme la Joséphine de Bonaparte.

Je souris et lançai :

– *Vive notre dame des Victoires**[1], mais la géante s'esclaffa en déclarant que Joséphine ne serait jamais couronnée à Westminster comme l'avait promis Bonaparte. Le cuisinier lui demanda sèchement de surveiller ses paroles, mais il ne lui faisait pas peur et elle nous introduisit dans une salle de pierre glaciale, meublée de paillasses et d'une longue table chargée de cruchons de vin rouge. Moi qui m'attendais à du velours rouge, d'après la description de ces lieux du plaisir clandestin par le curé, je ne trouvai ici aucun confort, rien pour masquer l'objet de notre visite. Quand les femmes entrèrent, elles se révélèrent plus vieilles que je ne me l'étais imaginé, en rien comparables aux images du livre licencieux du curé. Pas de formes serpentines,

1. Tous les mots en italique suivis d'un astérisque sont en français dans le texte.

pas d'Ève aux seins en pommes, mais des femmes rondelettes et résignées, à la chevelure ramassée en chignons branlants ou éployée sur leurs épaules. Mes compagnons braillaient et sifflaient, lampaient le vin à même les cruchons. J'avais envie d'un gobelet d'eau mais n'osais pas le demander.

Le cuisinier montra l'exemple en assenant une claque sur la croupe d'une femme et en plaisantant sur son corset. Il portait encore ses bottes tachées de graisse. Les couples se formèrent au fur et à mesure, me laissant en compagnie d'une fille placide aux dents noires qui portait dix anneaux à un seul doigt.

– Je viens de m'engager, lui expliquai-je, dans l'espoir qu'elle comprendrait que je ne savais pas comment m'y prendre.

Elle me pinça la joue.

– C'est toujours ce qu'ils disent, ils croient que c'est moins cher la première fois. Moi, j'appelle ça une corvée, comme d'apprendre le billard sans queue.

Elle jeta un œil au cuisinier qui, accroupi sur une paillasse, essayait de sortir son vit. Sa partenaire était à genoux devant lui, les bras croisés. Soudain il la giffla et ce claquement ruina momentanément la conversation.

– Aide-moi, espèce de chienne, mets la main à la pâte, es-tu manchote ou as-tu peur des anguilles ?

Je vis la fille retrousser les lèvres tandis que la marque cramoisie sur sa joue flamboyait malgré la rugosité de sa peau. Sans daigner répondre, elle glissa la main dans son pantalon et extirpa son machin comme un furet qu'on attrape par le cou.

– Dans ta bouche.

Je pensai à la bouillie.

– Un homme délicat, ton ami, observa ma compagne.

Je brûlais de lui sauter dessus et de presser sa tête contre la couverture jusqu'à ce qu'il ne respire plus. Puis il éjacula dans un puissant mugissement et s'affala en arrière sur les coudes. Sa partenaire se releva et, d'un geste très délibéré, cracha dans le récipient par terre, puis se rinça la bouche avec du vin qu'elle recracha également. Elle était bruyante et le cuisinier qui l'entendit lui demanda ce qu'elle faisait à jeter son sperme dans les égouts de France.

– Que veux-tu que j'en fasse d'autre ?

Il se jeta sur elle, le poing levé, mais celui-ci n'atteignit jamais son but. Ma compagne s'interposa et abattit un cruchon de vin sur sa nuque. Elle étreignit un instant sa camarade et lui donna un baiser furtif sur le front.

Elle ne me ferait jamais ça, à moi.

Je prétendis avoir la migraine et allai m'asseoir dehors.

Nous ramenâmes à quatre notre chef au campement en le portant à tour de rôle sur nos épaules, tel un cercueil, mais la tête en bas au cas où il vomirait. Le lendemain matin, il courut fanfaronner chez les officiers et raconta qu'il avait forcé cette garce à l'avaler tout entier et que, quand elle l'avait pris, ses joues s'étaient gonflées comme celles d'une rate.

– Qu'est-ce que tu t'es fait à la tête ?

– Je suis tombé au retour, rétorqua-t-il, me foudroyant du regard.

Il fréquentait les prostituées presque toutes les nuits, mais jamais plus je ne l'accompagnai. Excepté Domino et Patrick, le prêtre défroqué à l'œil d'aigle, je ne parlais à personne. J'apprenais à farcir une volaille, à ralentir une cuisson. J'attendais Bonaparte.

Enfin, par une de ces chaudes matinées où la mer laisse des cratères de sel entre les dalles du quai, il arriva. Il arriva escorté de ses généraux Murat et Bernadotte. Il arriva escorté de son nouvel amiral de la flotte. Il arriva escorté de son épouse, dont la grâce incita les plus rudes du campement à cirer leurs bottes deux fois. Mais je n'avais d'yeux que pour lui. Pendant des années, mon mentor, le curé qui avait soutenu la Révolution, m'avait répété que Bonaparte était peut-être le Fils de Dieu réincarné. J'appris ses batailles et ses campagnes en lieu d'histoire et de géographie. Couché à plat ventre avec le curé sur un vieux planisphère incroyablement froissé, je repérais les endroits où il était allé et observais la façon dont les frontières de la France reculaient. Le curé conservait un portrait de Bonaparte à côté de son image de la Sainte Vierge et je grandis en leur compagnie, à l'insu de ma mère qui restait monarchiste et priait encore pour l'âme de Marie-Antoinette.

Je n'avais que cinq ans lorsque la Révolution fit de Paris la capitale de l'homme libre et de la France le fléau de l'Europe. Notre village était situé non loin en aval sur la Seine, mais nous aurions pu aussi bien habiter la lune. Personne ne savait réellement ce qui se passait, sauf que le roi et la reine étaient emprisonnés. Nous nous en remettions aux commérages, quand le curé, lui, qui faisait les allers et retours, s'en remettait à sa soutane pour échapper au canon ou au couperet. Le village était divisé. La plupart donnaient raison au roi et à la reine, bien que le roi et la reine ne se souciassent guère de nous, hors comme source de revenus ou figurants de leurs spectacles. Mais c'est ma façon de voir, laquelle me fut enseignée par un homme intelligent qui ne respectait personne. La majorité de mes camarades villageois répugnait à parler de leur malaise, mais je voyais celui-ci à leurs épaules quand ils rassemblaient le bétail, je le lisais sur leurs visages pendant qu'ils écoutaient le curé à l'église. Nous étions toujours désarmés, quel que fût le gouvernement.

Le curé affirmait que nous vivions la fin des temps, que la Révolution apporterait un nouveau Messie et le millénium sur terre. Il n'alla jamais aussi loin à la messe. Il me l'a dit. Pas aux autres. Pas à Claude avec ses seilles, ni à Jacques dans les coins sombres avec sa belle, ni à ma mère avec ses prières. Il me prit sur ses genoux, me serrant contre l'étoffe noire qui sentait le vieux et le foin, et me recommanda de ne pas me laisser effrayer par les rumeurs du village selon lesquelles tout le monde à Paris serait affamé ou mort. « Le Christ a dit qu'il venait apporter le glaive, non la paix, Henri, souviens-toi. »

Tandis que je grandissais et qu'une sorte d'accalmie succédait à cette période troublée, Bonaparte commença à se faire une réputation. Nous l'appelions l'Empereur bien avant qu'il ne se fût octroyé ce titre. Et en revenant de notre église de fortune, l'hiver, le curé contemplait le chemin qui s'enfonçait dans les ténèbres et me pressait le bras très fort.

– Il t'appellera, chuchotait-il, comme Dieu a appelé Samuel, et tu t'en iras.

Il n'y avait pas d'exercice le jour où il arriva. Il nous prit par surprise, sans doute à dessein, et quand, à bout de forces, la première estafette déboula au galop dans le campement pour nous prévenir que Bonaparte voyageait d'une traite et serait là avant midi, nous traînassions en manches de chemise à boire du café et à jouer aux dés. Terrifiés, les officiers se mirent à disposer leurs hommes comme si les Anglais eux-mêmes avaient débarqué. Aucune réception n'était prévue, le bivouac qui lui était réservé abritait une paire de canons et le cuisinier était ivre mort.

– Toi. (Je fus saisi au vol par un capitaine que je ne reconnus pas.) Débrouille-toi avec les volailles. Ne t'occupe pas de ton uniforme, tu auras autre chose à faire pendant la prise d'armes.

Alors voilà, pas de gloire pour moi, rien qu'un tas de poulets à rôtir.

Dans ma rage, je remplis la plus grande des turbotières que je trouvai et arrosai le cuisinier d'eau froide. Il ne broncha pas.

Une heure plus tard, alors que les volailles étaient disposées en quinconce sur les broches de façon à cuire chacune à leur tour, le capitaine revint au comble de l'agitation et me dit que Bonaparte désirait visiter les cuisines. C'était tout à son honneur de s'intéresser au moindre détail de son armée, mais ce n'en était pas moins inopportun.

– Fichez-moi cet homme dehors, ordonna le capitaine en sortant.

Le cuisinier pesait aux alentours de cent kilos, j'en faisais à peine soixante. Je tentai de le prendre à bras-le-corps pour le tirer, mais je ne réussis qu'à trépigner d'impuissance.

Si j'avais été prophète et le cuisinier l'émissaire païen d'un dieu fallacieux, j'aurais pu prier Notre Seigneur de le faire enlever par une armée d'anges. De fait, Domino vint à mon secours avec son babillage sur l'Égypte.

Je connaissais l'Égypte parce que Bonaparte y avait été. Cette campagne, vouée à l'échec quoique courageuse, au cours de laquelle il était resté immunisé contre la peste et les fièvres, et avait parcouru des kilomètres dans le désert sans une goutte d'eau.

– Comment fut-ce possible, avait fait remarquer le curé, s'il n'était pas protégé par Dieu ?

L'idée de Domino consistait à lever le cuisinier à la manière dont les Égyptiens levaient leurs obélisques, grâce à un pivot, en l'occurrence une rame. Nous coinçâmes l'instrument sous son dos, puis creusâmes un trou à ses pieds.

– Maintenant, dit Domino. Pesons de tout notre poids sur la rame et il se redressera.

C'était Lazare se levant d'entre les morts.

Nous le remîmes debout et je calai la rame sous son ceinturon afin de l'empêcher de basculer en avant.

– Qu'est-ce qu'on fait à présent, Domino ?

Tandis que nous restions plantés de part et d'autre de cette montagne de chair, le rabat de la tente s'écartait et le capitaine faisait son entrée, très digne. Le sang reflua de son visage comme si l'on avait lâché la bonde dans sa gorge. Il ouvrit la bouche et sa moustache frémit, mais ce fut tout.

Bonaparte le poussa de côté.

Il fit deux fois le tour de notre animal et demanda de qui il s'agissait.

– Du cuisinier, monsieur. Légèrement ivre, monsieur. Ces hommes vont l'emporter.

Il me tardait de regagner ma broche où un des poulets était déjà carbonisé, mais Domino me devança et, s'exprimant en une langue gutturale dont il me dit après que c'était le dialecte corse de Bonaparte, il entreprit d'expliquer ce qui s'était passé, et que nous avions fait de notre mieux en nous inspirant de sa campagne d'Égypte. Lorsque Domino eut achevé, Bonaparte s'approcha de moi et me pinça l'oreille si fort qu'elle resta enflée plusieurs jours.

– Vous voyez, capitaine, dit-il, voilà ce qui rend mon armée invincible, l'ingénuité et la détermination du soldat le plus humble. (Le capitaine sourit faiblement, puis Bonaparte se retourna vers moi.) Tu assisteras à de grandes choses et bientôt tu prendras ton repas dans l'argenterie d'un Anglais. Capitaine, veillez à ce que ce garçon entre à mon service. Tous les maillons de mon armée doivent être solides. Je veux que mes domestiques soient aussi fiables que mes généraux. Domino, nous montons cet après-midi.

J'écrivis aussitôt à mon ami le curé. Cela tenait véritablement du miracle. J'avais été élu. Je ne prévoyais pas que le cuisinier deviendrait mon ennemi juré. À la nuit tombée, le campement entier était au courant de mon aventure et l'avait enjolivée, comme quoi nous avions enterré le cuisinier dans une tranchée puis battu à mort, ou bruit encore plus bizarre, que Domino lui avait jeté un sort.

– Si seulement je savais comment, se lamenta-t-il. Cela aurait pu nous éviter de creuser.

Le cuisinier, qui dessaoula avec la migraine et de plus méchante humeur qu'à l'ordinaire, ne pouvait pas mettre le pied dehors sans qu'un soldat le gratifiât d'un clin d'œil et d'une bourrade. Finalement, alors que j'étais assis en compagnie de ma petite Bible, il vint me voir et m'empoigna au collet.

– Tu te crois en sécurité parce que Bonaparte t'a à la bonne. Aujourd'hui tu ne risques rien, mais la vie est longue.

Il me repoussa contre les sacs d'oignons et me cracha au visage. Il s'écoula pas mal de temps avant que nous ne nous retrouvions face à face, parce que le capitaine le fit transférer dans les magasins à l'extérieur de Boulogne.

– Oublie-le, dit Domino alors que nous le regardions s'éloigner à l'arrière d'une carriole.

Il est cruel de songer que ce jour ne reviendra plus. Que nous sommes ici et maintenant, et que l'instant est unique. Durant le séjour de Bonaparte à Boulogne, il y avait une atmosphère d'urgence et de privilège. Il se levait avant nous et se couchait longtemps après, passant en revue le moindre détail de nos manœuvres et nous motivant personnellement. Il tendait la main en direction de la Manche et donnait l'impression que l'Angleterre nous appartenait déjà. À chacun de nous. Il avait ce don. Il devint le centre de nos existences. La perspective du combat nous excitait. Personne n'a envie de se faire tuer, mais les privations, les heures interminables, le froid, les ordres étaient autant de choses que nous aurions dû de toute façon endurer à la ferme ou à la ville. Nous n'étions pas des hommes libres. Il donnait un sens à la routine.

Nos grotesques péniches, construites à des centaines d'exemplaires, prenaient la hardiesse des galions. Quand nous prîmes la mer afin de nous exercer à cette traîtreuse traversée de vingt milles marins, nous arrêtâmes de plaisanter sur les filets à crevettes ou le fait que ces tubs conviendraient mieux à des lavandières. Pendant que lui restait sur le rivage à hurler ses ordres, nous tournâmes nos visages face au vent en le plaignant de tout notre cœur.

Ces péniches étaient conçues pour le transport de soixante hommes, et l'on estimait que vingt mille d'entre nous périraient en mer ou seraient tués par les Anglais avant le débarquement. Bonaparte jugeait que c'était de bon augure, il était habitué à un tel contingent de pertes au combat. Nul ne s'inquiétait de faire partie des malheureux vingt mille. Nous ne nous étions pas engagés pour nous inquiéter.

D'après son plan de campagne, si la flotte française pouvait tenir la Manche seulement six heures, il pourrait débarquer son armée et l'Angleterre tomberait entre ses mains. Cela semblait absurdement facile. En six heures, même Nelson ne pouvait déjouer notre offensive. Nous nous moquions des Anglais, et la plupart d'entre nous avions déjà organisé notre voyage là-bas. Je souhaitais visiter en particulier la Tour de Londres parce que le curé m'avait dit qu'elle était remplie d'orphelins ; des bâtards d'origine aristocratique dont les parents avaient trop honte pour les élever. Nous n'agissons pas ainsi en France, nous ouvrons les bras à nos enfants.

Selon Domino, le bruit courait que nous creusions un tunnel, prêts à surgir comme des taupes au milieu de la campagne du Kent.

– Dire que cela nous a pris une heure de creuser un trou d'un pied pour notre ami.

D'autres rumeurs impliquaient l'atterrissage d'un aérostat, un homme-canon et le projet de faire sauter le Parlement, ainsi que Guy Fawkes avait failli le faire[1]. Celle que les Anglais prenaient le plus au sérieux était l'atterrissage du ballon et, pour l'empêcher, ils édifièrent de grandes tours tout le long des Cinq Ports, afin de pouvoir nous repérer et nous abattre.

Sornettes que tout cela, mais je crois que si Bonaparte nous avait demandé de nous attacher des ailes et de voler jusqu'à St. James Palace, nous nous serions envolés avec la même confiance qu'un enfant qui lâche un cerf-volant.

En son absence, durant les jours et les nuits où les affaires de l'État le retenaient à Paris, nos jours et nos nuits à nous ne

1. Guy Fawkes (1570-1606) : membre du Complot de la Poudre, qui fut exécuté pour avoir tenté de faire sauter le Parlement britannique en représailles à l'oppression croissante des catholiques romains en Angleterre.

différaient plus que par la quantité de lumière qu'ils répandaient. Moi, qui n'avais personne à aimer, j'imitais le hérisson et enfouissais mon cœur sous les feuilles.

J'avais la manière avec les prêtres, aussi ce ne fut pas une surprise si, en plus de Domino, je me liais d'amitié avec Patrick, le prêtre défroqué à l'œil d'aigle, importé directement d'Irlande.

En 1799, quand Napoléon luttait encore pour le pouvoir, le général Hoche, héros de légende et jadis amant de Mme Bonaparte, avait atterri en Irlande et manqué tout bonnement de vaincre John Bull. Pendant son séjour, il entendit parler d'un certain prêtre disgracié, dont l'œil droit était pareil au vôtre ou au mien, mais dont le gauche pouvait rivaliser avec la meilleure lunette. En effet, il avait été chassé de l'Église pour avoir lorgné les jeunes filles depuis son clocher. Quel est le prêtre qui ne le fait pas ? Mais, dans le cas de Patrick, grâce aux propriétés miraculeuses de son œil, aucune poitrine n'était à l'abri. Un tendron pouvait se dévêtir à deux villages de là, si la soirée était claire et ses volets ouverts, elle n'avait aussi bien qu'à se rendre chez le curé et déposer son cotillon à ses pieds.

Hoche, qui était un homme du monde, ne croyait guère aux contes de bonne femme, mais il ne tarda pas à reconnaître que la gent féminine était plus sage que lui. Bien que Patrick se défendît d'abord de l'accusation et que les hommes s'esclaffassent en invoquant les lubies des femmes, celles-ci rivèrent leurs yeux par terre et affirmèrent qu'elles le sentaient quand on les regardait. L'évêque leur avait donné gain de cause, non parce qu'il croyait aux fables sur l'œil de Patrick, mais plutôt adepte des formes plates de ses enfants de chœur, il trouvait cette affaire extrêmement répugnante.

Un prêtre avait mieux à faire que de regarder les femmes.

Pris dans cet écheveau de racontars, Hoche poussa Patrick à boire jusqu'à ce que notre homme tînt à peine debout, puis il le tira, le porta à moitié au sommet d'un coteau d'où la vue sur la vallée s'étendait sur des kilomètres. Ils s'assirent ensemble et, tandis que Patrick somnolait, Hoche sortit un drapeau rouge et l'agita durant deux minutes. Ensuite, secouant Patrick pour le réveiller, il s'extasia, comme si de rien n'était, sur la magie de la soirée et la splendeur du paysage. Par courtoisie envers son compagnon, Patrick se força à suivre des yeux le geste de Hoche, marmonnant quelque chose sur le bonheur des Irlandais d'avoir leur coin de paradis sur terre. Soudain il se pencha en avant, plissa un œil et, d'une voix aussi chevrotante et inspirée que celle de l'évêque au moment de la communion, s'exclama :

– Regardez-moi ça !

– Quoi ? Ce faucon ?

– Qui vous parle de faucon ? Elle est aussi brune et gironde qu'une génisse.

Si Hoche ne voyait rien, il savait ce que Patrick voyait. Il avait payé une putain pour qu'elle se devêtît dans un champ à quelque vingt-cinq kilomètres de distance, et disposé ses hommes à intervalles réguliers avec des drapeaux rouges.

Quand il rentra en France, il ramena Patrick dans ses bagages.

À Boulogne, on trouvait d'ordinaire Patrick, à l'instar de Simon le Stylite, en haut d'une colonne spécialement aménagée. De son observatoire, il était capable de surveiller l'autre côté de la Manche, de repérer le mouillage de la flotte de blocus de Nelson et d'avertir nos troupes en manœuvres de toute menace anglaise. Les bâtiments français qui s'aventuraient trop loin de la zone portuaire s'exposaient à tomber sous un brutal feu de travers si les Anglais étaient d'humeur à patrouiller. Afin de donner l'alarme, Patrick s'était vu octroyer un cor des Alpes de la grandeur d'un homme. Par les nuits de brouillard, ce son mélancolique résonnait jusqu'aux falaises de Douvres, alimentant la rumeur selon laquelle Bonaparte aurait embauché le Diable en personne comme guetteur.

Quel effet cela lui faisait-il de travailler pour les Français ?

Il préférait travailler pour nous que pour les Anglais.

Quand Bonaparte n'était pas là, je passais la majeure partie de mon temps avec Patrick sur sa colonne. La plate-forme faisait six mètres sur quatre, il y avait donc assez de place pour jouer aux cartes. Parfois Domino grimpait pour un match de boxe. Sa petite taille n'était guère un handicap pour lui et, bien que Patrick eût des poings pareils à des boulets de canon, il ne toucha jamais Domino, dont la tactique consistait à sautiller jusqu'à ce que son adversaire commençât à se fatiguer. Choisissant alors son moment, Domino frappait une fois et une fois seulement, non avec ses poings mais avec ses deux pieds, en se projetant de côté ou en arrière, à moins qu'il ne recourût à sa foudroyante figure du poirier. C'étaient des matches pour rire, mais je l'ai vu assommer un bœuf rien qu'en sautant sur son front.

– Si tu avais ma taille, Henri, tu apprendrais à te défendre, tu ne te fierais pas à la bonté des autres.

Les yeux perdus dans le lointain, je laissais Patrick me décrire l'activité du pont sous les voiles anglaises. Il distinguait les amiraux avec leurs jambières blanches et les marins qui montaient et descendaient le gréement, modifiant la toile afin de tirer le meilleur parti du vent. On donnait souvent le fouet. Patrick disait qu'il avait vu la peau du dos d'un homme arrachée d'un seul morceau. Ils l'immergèrent dans la mer afin d'empêcher l'infection et l'abandonnèrent en plein soleil sur le pont. Patrick prétendait qu'il était capable de voir des charançons dans le pain.

Mais ça, je n'y crois pas.

20 juillet 1804. Ce n'est plus la nuit, mais ce n'est pas encore l'aube.

Il règne une certaine fièvre dans les bois, en mer, au sein du campement. Comme nous, les oiseaux s'agitent dans leur sommeil ; ils veulent continuer à dormir mais se tendent à l'idée du réveil. Dans une demi-heure peut-être, cette froide lumière grise si familière. Puis le soleil. Puis les cris des mouettes au-dessus des flots. Presque tous les jours, je me lève à cette heure-là. Je descends au port pour contempler les bateaux à l'attache, comme les chiens.

J'attends que le soleil zèbre l'eau.

Ces dix-neuf derniers jours, c'était le calme plat. Au lieu d'accrocher notre linge avec des pinces, nous l'avons fait sécher sur les pierres brûlantes, mais aujourd'hui mes manches de chemise me fouettent les bras et les embarcations donnent de la gîte.

Nous sommes d'exercice aujourd'hui. Bonaparte arrive dans deux heures pour nous voir prendre la mer. Il veut embarquer vingt-cinq mille hommes en un quart d'heure.

Il le fera.

Ce brusque changement atmosphérique est inattendu. Si le temps se dégrade, il deviendra impossible d'affronter la Manche.

Patrick dit que la Manche regorge de sirènes. Il dit que ce sont les sirènes en mal d'hommes qui font toucher le fond à tant d'entre nous.

En regardant les crêtes blanches battre contre les flancs des navires, je me demande si cette tempête malvenue n'est pas leur œuvre ?

Avec un peu d'optimisme, elle peut s'éloigner.

Midi. La pluie dégouline de nos nez sur nos vestes jusque dans nos bottes. Pour parler à mon voisin, il me faut mettre mes mains en porte-voix. Le vent a déjà détaché quantité de barges, précipitant des hommes à mi-poitrine dans les eaux déchaînées, se jouant de nos meilleurs nœuds. Les officiers disent que nous ne pouvons pas risquer de manœuvre aujourd'hui. La tête encapuchonnée dans son manteau, Napoléon, lui, dit que nous le pouvons. Nous le ferons.

20 juillet 1804. Deux mille hommes sont morts noyés aujourd'hui.

Au milieu de rafales si fortes que Patrick, notre vigie, dut être attaché à des tonneaux de pommes, nous découvrîmes que nos barges ne sont après tout que des jouets. Posté sur le quai, Bonaparte déclara à ses officiers qu'aucune tempête ne pourrait nous arrêter.

– Quoi ! si le ciel nous tombe sur la tête, nous le retiendrons à la pointe de nos lances.

Sans doute. Mais il n'y a aucune volonté ni aucune arme qui puisse retenir la mer.

Étendu sur le ventre à côté de Patrick, ligoté, je ne voyais presque rien à cause des embruns, mais chaque trouée offerte par le vent me montrait un nouveau trou à la place d'un bateau.

Les sirènes ne seront plus seules.

Nous aurions dû nous retourner contre lui, lui rire au nez, lui jeter à la figure les cheveux emmêlés d'algues des victimes. Mais sa physionomie nous supplie toujours de lui donner raison.

Le soir, une fois la tempête tombée, quand nous nous retrouvâmes dans nos tentes trempées avec des bols de café bouillant, aucun de nous ne protesta.

Personne ne dit : Quittons-le, vouons-le aux gémonies. Nous tenions nos bols à deux mains et buvions notre café corsé de la ration d'eau-de-vie qu'il avait fait délivrer spécialement à chaque homme.

Je dus le servir ce soir-là et son sourire empêche la frénésie des bras et des jambes de forcer ma bouche et mes oreilles.

J'étais couvert de cadavres.

Au matin, deux mille nouvelles recrues défilaient dans Boulogne.

Songez-vous jamais à votre enfance ?

Moi, j'y songe quand je sens l'odeur de la bouillie. Parfois, après mon petit tour sur les quais, je rentre en ville et, le nez au vent, m'amuse à flairer le lard et le pain frais. En passant devant une maison donnée, située dans l'alignement des autres et en tout point semblable à elles, je renifle toujours la bonne odeur de l'avoine. Sucrée mais relevée d'une pointe de sel. Moelleuse comme un édredon. J'ignore qui habite là, qui est la maîtresse de maison, mais j'imagine les flammes jaunes et le pot noirci. Chez nous, il y avait un chaudron de cuivre que je polissais, aimant polir tout ce qui peut briller. Ma mère préparait la bouillie, laissait l'avoine toute la nuit au coin du feu. Puis au matin, lorsque son soufflet avait fait jaillir des étincelles dans la cheminée, elle s'arrangeait pour griller l'avoine sur tout le pourtour, de sorte qu'on aurait dit que le chaudron était garni de papier marron d'où débordait l'intérieur crémeux.

Nous marchions sur du carrelage, mais en hiver elle étalait de la paille par terre, et la paille, ajoutée à l'avoine, avait pour nous le parfum de la crèche.

La plupart de mes camarades, eux, mangeaient du pain chaud le matin.

J'étais heureux, mais heureux est un mot d'adulte. Ce n'est pas la peine de demander à un enfant s'il est heureux, on le voit. Il l'est ou il ne l'est pas. Les adultes parlent du bonheur parce que dans une large mesure celui-là leur échappe. En parler revient à essayer de capturer le vent. Mieux vaut se laisser caresser par lui. C'est là où je me sépare des philosophes. Ils disputent de choses passionnelles sans qu'il y ait la moindre passion en eux. Ne jamais disputer du bonheur avec un philosophe.

Mais je ne suis plus un enfant et souvent le Royaume des Cieux m'échappe également. À présent, des mots et des idées se glissent toujours entre moi et l'affect. Jusques entre moi et notre affect naturel, qui est d'être heureux.

Ce matin, je sens l'odeur de l'avoine et je revois un petit garçon qui contemple son reflet sur un chaudron de cuivre qu'il vient de polir. Son père entre et, avec un éclat de rire, lui offre à la place le miroir qui lui sert à se raser. Mais dans le miroir le garçonnet n'aperçoit qu'un seul visage. Sur le chaudron, il peut voir son visage se déformer. Il voit une multitude de visages possibles et, entre autres, celui qu'il pourrait prendre plus tard.

Les conscrits sont arrivés, la plupart sans moustaches, mais tous avec des joues pareilles à des pommes. Produits frais de la ferme, comme moi. Leurs physionomies sont ouvertes et ardentes. Ils sont entourés, se voient attribuer des uniformes et des missions en remplacement des corvées de la traite et des cochons insatiables. Les officiers leur serrent la main ; un geste de grande personne.

Aucune allusion aux manœuvres de la veille. Nous sommes secs, les tentes sèchent, les péniches détrempées sont retournées sur le quai. La mer est pure et, sur sa colonne, Patrick se rase tranquillement. Les recrues sont divisées en deux régiments ; par principe, les amis sont séparés. C'est un nouveau départ. Ces garçons sont des hommes.

Les souvenirs qu'ils ont emportés avec eux seront bientôt oubliés ou ravalés.

Étrange, la différence que créent quelques mois. Quand je suis arrivé ici, j'étais exactement comme eux, je le suis toujours d'une certaine manière, mais mes camarades ne sont plus ces garçons timides aux yeux pétillants. Ils sont plus rudes, plus durs. Naturellement, on dit que c'est l'effet de la vie aux armées.

Il y a aussi autre chose, quelque chose dont il est difficile de parler.

À notre arrivée, nous sortions des jupes de nos mères et de nos promises. Nous avions encore l'habitude de nos mères dont les bras durcis par le travail talochaient les plus robustes d'entre nous, nous laissant les oreilles bourdonnantes. Et nous courtisions nos promises à la manière de la campagne. Paisiblement, au rythme des récoltes qui mûrissent pour la moisson. Sauvagement, comme les truies qui fouissent la terre. Ici, sans femmes, en compagnie de nos seules imaginations et d'une poignée de putains, nous oublions ce qu'il y a chez la femme qui, par l'entremise de la passion, peut sanctifier un homme. Encore des expressions bibliques, mais je pense à mon père qui se protégeait les yeux par les soirées brûlantes de soleil et apprenait à prendre son temps avec ma mère. Je pense à ma mère avec son cœur vibrant et à toutes ces femmes qui attendent dans les champs les hommes qui se sont noyés hier et aux fils de toutes ces mères qui ont pris leur place.

Nous ne pensons jamais à elles ici. Nous pensons à leurs corps et nous parlons de temps à autre du pays, mais nous ne pensons guère à elles pour ce qu'elles sont : solides, aimées, familières.

Elles continuent. Que nous avancions ou que nous reculions, elles continuent.

Dans notre village, il y avait un homme qui se prenait pour un inventeur. Il passait tout son temps au milieu des poulies, des bouts de corde et des chutes de bois à élaborer des dispositifs servant à l'élevage des veaux ou à poser des canalisations pour amener l'eau de la rivière dans sa maison. C'était un homme à la voix bien timbrée, affable avec ses voisins. Habitué aux déconvenues, il savait toujours adoucir les déceptions des autres. Et dans un lieu sujet aux caprices de la pluie et du soleil, les déceptions ne manquent pas.

Pendant qu'il inventait, réinventait et nous réconfortait, son épouse, qui n'ouvrait jamais la bouche sauf pour dire : « Le dîner est servi », travaillait aux champs et tenait son ménage et, comme son mari aimait son lit, elle ne tarda pas aussi à élever six enfants.

Un jour, il partit quelques mois à la ville pour tenter de faire fortune et, quand il revint sans fortune et sans leurs économies, elle était tranquillement assise dans une maison impeccable, en train de repriser des vêtements également impeccables, et les terres étaient ensemencées pour une nouvelle année.

On comprend que j'aimais cet homme, et je serais injuste si je disais qu'il ne travaillait pas, que nous n'avions nul besoin de lui et de sa nature optimiste. Mais quand elle mourut, brusquement, sur le coup de midi, sa voix perdit son timbre, ses canalisations se remplirent de vase et il eut du mal à moissonner ses terres, sans parler d'élever ses enfants.

Elle lui avait permis d'exister. En ce sens, elle était son dieu.

Comme Dieu, on la négligeait.

Les conscrits pleurent quand ils arrivent ici et ils pensent à leurs mères et à leurs promises, et ils pensent à s'en retourner chez eux. Ils ne se rappellent que trop ce qui à la maison fait battre leur cœur ; pas de grandes démonstrations de sentiments, mais les visages qu'ils chérissent. La plupart d'entre eux n'ont pas dix-sept ans et on leur demande de faire en quelques semaines ce qui tourmente les meilleurs philosophes leur existence entière : à savoir faire appel à leur passion de la vie et lui donner un sens face à la mort.

Ils ne savent pas comment, mais ils savent oublier, et petit à petit ils mettent de côté l'été torride de leurs corps et tout ce qu'ils ont en échange, c'est la concupiscence et la rage.

Ce fut après le désastre en mer que je commençai à tenir un journal. Afin de ne pas oublier. Afin que, sur le tard, quand je serais enclin à m'asseoir au coin du feu et à regarder en arrière, j'aie quelque chose de clair et de net à opposer à mes trous de mémoire. J'en ai parlé à Domino ; il m'a dit :

– La manière dont tu vois les choses aujourd'hui n'est pas plus réelle que la manière dont tu les verras alors.

Je n'étais pas d'accord avec lui. Je savais comment les vieilles personnes fabulent et déforment le passé, l'enjolivant pour la seule raison que celui-ci s'est enfui. Bonaparte ne s'était-il pas lui-même exprimé en ce sens ?

– Regarde-toi, s'écria Domino, un jeune homme élevé par un curé et une mère bigote. Un jeune homme qui n'est même pas capable de prendre un mousquet pour tirer un lapin. Qu'est-ce qui te fait croire que tu as du jugement ? Qu'est-ce qui te donne le droit d'écrire des carnets que tu me brandiras sous le nez dans trente ans, si Dieu nous prête vie, en me disant que tu détiens la vérité ?

– Ce ne sont pas les faits qui m'intéressent, Domino, mais ce que je ressens. Or ce que je ressens évoluera, je veux m'en souvenir.

Il haussa les épaules et s'en fut. Il ne parlait jamais de l'avenir, et uniquement à l'occasion, quand il était saoul, acceptait-il de parler de son prestigieux passé. Un passé rempli de femmes couvertes de sequins, de chevaux à deux queues et d'un père qui gagnait son pain comme homme-canon. Il venait d'Europe de l'Est et avait le teint olivâtre. Nous savions seulement qu'il était arrivé en France par erreur, il y avait des années, et qu'il avait sauvé la belle Joséphine des sabots d'un cheval emballé. À cette époque, elle était simplement Mme Beauharnais, sortie depuis peu de l'ignoble prison des Carmes et veuve également depuis peu. Son mari avait été exécuté pendant la Terreur ; elle n'avait eu la vie sauve que parce que Robespierre avait été assassiné le matin où elle devait subir le même sort. Domino disait que c'était une femme de tête qui, dans ses jours d'impécuniosité, aimait à défier les officiers au billard. Si elle perdait, ils pouvaient rester déjeuner. Si elle gagnait, ils devaient payer une de ses factures les plus pressantes.

Elle ne perdait jamais.

Bien des années après, elle avait recommandé Domino auprès de son époux qui cherchait un palefrenier, et ils l'avaient retrouvé cracheur de feu dans une fête foraine. Ses sentiments à l'égard de Bonaparte étaient mêlés, mais il adorait Joséphine et les chevaux.

Il me parla des diseuses de bonne aventure qu'il avait connues et des foules qui affluaient chaque semaine pour se faire prédire l'avenir ou révéler le passé.

– Mais, je te le dis, Henri, le moindre instant que tu voles au présent est perdu à jamais. Il n'y a que maintenant qui compte.

Je l'ignorai et continuai de travailler sur mon petit livre et en août, quand l'herbe jaunissait sous le soleil, Bonaparte annonça son Couronnement pour le mois de décembre.

J'obtins immédiatement une permission. Il me dit qu'ensuite il me voulait à ses côtés. Il me dit que nous allions faire de grandes choses. Il me dit apprécier qu'un visage souriant lui servît son dîner. Cela se passe toujours ainsi avec moi : on m'ignore ou on me prend pour confident. Au début, je croyais que c'étaient seulement les prêtres, parce qu'ils sont plus exaltés que les gens ordinaires. Ce n'est pas seulement les prêtres, cela doit tenir à ma bonne mine.

Lorsque je suis entré au service de Napoléon, je pensais qu'il parlait par aphorismes, il ne disait jamais une phrase comme vous ou moi, elle était tournée comme une grande pensée. Je les consignais toutes et ce fut bien plus tard que je mesurai à quel point la plupart étaient insolites. Il y avait des pages et des pages de ses mémorables déclarations et je dois reconnaître qu'il me tirait des larmes quand je l'entendais parler. Même quand je le haïssais, il était encore capable de me faire pleurer. Et pas de peur. C'était un grand homme. Une grandeur comme la sienne incline à l'irrationalité.

Je mis une semaine pour rentrer chez moi, à cheval où je pouvais et le reste à pied. La nouvelle du Couronnement se propageait et je voyais dans les sourires de mes compagnons de voyage combien elle était la bienvenue. Nul ne pensait qu'à peine quinze ans plus tôt nous nous étions battus pour abolir à jamais la royauté. Que nous avions juré de ne plus jamais nous battre, sauf en cas de légitime défense. Maintenant nous voulions un souverain et nous voulions qu'il règne sur le monde. Notre peuple n'a rien d'extraordinaire.

Grâce à mon uniforme de soldat, j'étais traité avec bonté, nourri et gâté, gorgé de produits de choix. En échange, je leur racontais des anecdotes sur le campement de Boulogne, et que nous pouvions voir les Anglais tremblant dans leurs bottes sur le rivage d'en face. Je brodai, inventai et même mentis. Pourquoi non ? Cela leur faisait plaisir. Je ne leur parlai pas des hommes qui avaient épousé les sirènes. Tous les garçons de ferme voulaient s'enrôler sans délai, mais je leur conseillai d'attendre le Couronnement.

– Quand votre Empereur aura besoin de vous, il vous appellera. En attendant, travaillez chez vous pour la France.

Naturellement, cela ravissait les femmes.

J'étais parti six mois. Quand la charrette où je voyageais me laissa à un ou deux kilomètres de la maison, j'eus envie de faire demi-tour. J'avais peur. Peur que les choses soient différentes, que je ne sois pas le bienvenu. Le voyageur souhaite toujours retrouver sa maison inchangée. Le voyageur s'attend, lui, à changer, à revenir avec une barbe en broussaille, un nouveau bébé ou des souvenirs d'une existence miraculeuse où la moindre rivière est semée d'or et le temps clément. J'étais rempli de tels souvenirs, mais je voulais savoir à l'avance si mon public était bien installé. Évitant le chemin normal, je m'approchais de mon village comme un voleur. J'avais déjà décidé ce qu'ils feraient. Ma mère serait à peine visible dans le champ de pommes de terre, tandis que mon père serait à l'étable. J'allais dévaler la colline et puis nous ferions la fête. Ils n'étaient pas préparés à me voir. Aucun message n'avait pu les atteindre en une semaine.

Je jetai un coup d'œil. Ils étaient tous les deux aux champs. Ma mère, les mains sur les hanches, la tête renversée en arrière, regardait les nuages s'amonceler. Elle guettait la pluie. Elle dressait ses plans en fonction de la pluie. À ses côtés, mon père se tenait immobile, un sac dans chaque main. Quand j'étais petit, j'avais vu mon père avec deux sacs comme ceux-là, remplis de taupes aveugles aux moustaches encore hérissées de terre. Elles étaient mortes. Nous avions tendu des pièges parce qu'elles dévastaient les champs, mais cela, je l'ignorais à l'époque, je savais seulement que mon père les avaient tuées. C'était ma mère qui m'avait arraché à ma veille, engourdi par le froid. Au matin, les sacs avaient disparu. Depuis j'en ai tué moi aussi, mais rien qu'en détournant les yeux.

Mère. Père. Je vous aime.

Pendant nos nombreuses veillées, nous buvions le cognac âpre de Claude, assis au coin de la cheminée jusqu'à ce que le feu prît la teinte des roses fanées. Ma mère évoquait gaiement son passé, elle semblait croire qu'avec un souverain sur le trône beaucoup de choses seraient restaurées. Elle parlait même d'écrire à ses parents. Elle était persuadée qu'ils célébreraient le retour d'un monarque. J'étais surpris, je croyais qu'elle avait toujours soutenu les Bourbons. Le fait de devenir empereur ne rendait-il pas en effet cet homme tant haï plus aimable à son cœur ?

– Il a raison, Henri. Un pays a besoin d'un roi et d'une reine, sinon qui respecterions-nous ?

– Vous pouvez respecter Bonaparte, roi ou pas.

Mais elle ne le pouvait pas. Je savais qu'elle ne le pouvait pas. Ce n'était pas la simple vanité qui mettait cet homme sur le trône.

Lorsque ma mère parlait de sa famille, elle nourrissait les mêmes espoirs que le voyageur qui retourne chez lui. Elle la croyait immuable, décrivait le mobilier comme si rien n'avait été déplacé ni démoli en plus de vingt ans. La barbe de son père n'avait pas blanchi. Je comprenais ses espoirs. Nous espérions tous quelque chose de Bonaparte.

Le temps est un grand pacificateur. Les gens oublient, vieillissent, deviennent rassis. Le père et la mère qu'elle avait fuis au risque de sa vie, elle en parlait maintenant avec affection. Avait-elle oublié ? Le temps avait-il émoussé sa révolte ? Elle me regarda.

– Je deviens moins exigeante en avançant en âge, Henri. Je prends les choses comme elles viennent et j'ai arrêté de me poser des questions sur le pourquoi et le comment. Cela me fait plaisir de penser à eux. Cela me fait plaisir de les aimer. C'est tout.

J'avais la figure brûlante. De quel droit l'avais-je défiée ? Pour éteindre l'éclat de ses prunelles et la faire passer à ses propres yeux pour une sotte sentimentale ? Je m'agenouillai devant elle, le dos au feu, pressant ma poitrine contre ses genoux. Elle ne lâcha pas son ouvrage.

– Tu es tel que j'étais, dit-elle. Impatient avec un cœur timoré.

Il pleuvait tous les jours. Une pluie fine qui vous trempait en une demi-heure sans le frisson d'un véritable déluge. J'allais de maison en maison bavarder et voir mes camarades, aidant aux réparations ou aux récoltes. Comme mon ami le curé était en pèlerinage, je lui laissai de longues lettres comme celles que j'aimerais recevoir.

J'aime le crépuscule. Ce n'est pas la nuit. C'est encore supportable. Personne n'éprouve de crainte à se promener seul et sans lumière. Les filles chantent en revenant de la traite du soir et, si je leur saute dessus, elles me chasseront avec leurs cris, mais aucune n'aura le cœur battant à tout rompre. Je ne comprends pas comment une certaine obscurité peut être si différente d'une autre. La véritable obscurité est plus épaisse et plus silencieuse, elle s'insinue entre votre veste et votre poitrine. Elle emplit vos yeux. Quand je dois sortir tard le soir, je n'ai pas peur des couteaux et des mauvais coups, bien que les murs et les haies y soient propices. J'ai peur des ténèbres. Vous, qui marchez allègrement en sifflotant, demeurez cinq minutes immobile. Demeurez immobile dans les ténèbres au milieu d'un champ ou d'un chemin. C'est alors que vous vous rendrez compte que votre présence est simplement tolérée. Les ténèbres ne vous laissent faire qu'un pas à la fois. Avancez, et elles se refermeront dans votre dos. Devant, il n'y a pas d'espace libre, jusqu'à tant que vous l'occupiez. L'obscurité est totale. Marcher dans les ténèbres ressemble à nager sous l'eau, à cette différence près qu'on ne peut pas remonter à la surface pour respirer.

Quand on est couché sans bouger la nuit, l'obscurité est soyeuse au toucher, on dirait du satin, et c'est une si douce asphyxie. À la campagne, on s'en remet à la lune, et quand il n'y a pas de lune, aucune lumière ne peut filtrer de la fenêtre. Celle-ci est comme murée et dessine une parfaite surface noire. Est-ce qu'on a cette sensation quand on est aveugle ? Je le croyais, jusqu'à ce que l'on m'affirme le contraire. Un colporteur aveugle qui nous rendait régulièrement visite a ri de mes histoires sur l'obscurité et déclaré que cette dernière était sa compagne. Nous lui avons acheté des seaux et mis son couvert à la table de la cuisine. Il ne renversait jamais son ragoût ni ne manquait sa bouche comme je le faisais.

– J'y vois, disait-il, mais pas avec mes yeux.

Il est mort l'hiver dernier, m'a appris ma mère.

Le crépuscule tombe maintenant et c'est mon dernier soir de permission. Nous ne ferons rien d'extraordinaire. Nous évitons de penser que je dois repartir.

J'ai promis à ma mère qu'elle viendrait à Paris aussitôt après le Couronnement. Moi-même, je n'y ai jamais été et c'est cette perspective qui me facilite les adieux. Domino sera là-bas à panser son cheval absurde, à apprendre à cette brute vicieuse à marcher docilement en rang avec les animaux de la cour. La raison pour laquelle Bonaparte a insisté sur la présence de ce cheval en une circonstance aussi importante n'est pas claire. C'est une monture de soldat, pas une bête de parade. Mais il aime nous rappeler qu'il est aussi un soldat.

Quand Claude alla enfin se coucher et que nous restâmes seuls, nous ne prononçâmes pas une parole. Nous nous tînmes les mains jusqu'à ce que la mèche s'éteigne et que nous nous retrouvions dans le noir.

Paris n'avait jamais vu tant d'argent.

Les Bonaparte organisaient tout, de la crème fouettée à David. David, qui avait su flatter Napoléon en lui disant qu'il avait la tête parfaitement romaine, reçut la mission de peindre le Couronnement, et tous les jours on le trouvait à Notre-Dame en train de faire des croquis et de discuter avec les ouvriers qui tentaient de faire disparaître les ravages de la Révolution et de la banqueroute. Joséphine, qui était chargée des fleurs, ne s'était pas contentée des vases et des arrangements floraux. Elle avait établi un itinéraire du palais à la cathédrale et s'occupait de son éphémère chef-d'œuvre aussi activement que David. Je la rencontrai pour la première fois devant une table de billard, où elle affrontait M. Talleyrand, un gentilhomme pas très doué pour les boules. Malgré sa robe, qui, étalée, aurait très bien pu faire un tapis jusqu'au parvis de la cathédrale, elle se penchait et gesticulait comme si elle ne portait rien du tout, décrivant de superbes parallèles avec son instrument. Bonaparte m'avait accoutré en laquais et ordonné d'emmener

Son Altesse prendre une collation. À quatre heures, elle raffolait de melon. M. Talleyrand, lui, était amateur de porto.

L'humeur folâtre de Napoléon tournait presque à la démence. Deux jours auparavant, il était apparu au dîner paré comme le souverain pontife et, d'un ton licencieux, avait demandé à Joséphine jusqu'où allait son désir d'intimité avec Dieu. Je me suis absorbé dans mes volailles.

À présent, il m'a fait quitter mon uniforme de soldat pour un habit de cour. Incroyablement moulant. Cela le faisait rire. Il aimait rire. C'était sa seule détente, mis à part les bains de plus en plus chauds qu'il prenait à n'importe quelle heure du jour ou de la nuit. Au palais, le personnel de la salle de bains vivait dans la même agitation que celui des cuisines. À tout instant il pouvait réclamer de l'eau chaude, et gare au malheureux de service si la baignoire n'était pas assez pleine, assez ceci ou cela. Une fois, j'ai visité la salle de bains. Une vaste et belle pièce avec une baignoire de la taille d'un navire et un énorme fourneau dans un coin, où l'on chauffait, puisait, reversait, réchauffait l'eau, encore et encore, jusqu'à ce que, le moment venu, il voulût son bain. Les domestiques étaient spécialement choisis parmi les garçons vachers les plus forts de France. Des gaillards qui manipulaient les chaudrons de cuivre comme des tasses de thé travaillaient seuls, le poitrail nu, vêtus seulement d'une culotte de marin qui absorbait la sueur sous forme de taches sombres le long de chaque jambe. Comme les marins, d'ailleurs, ils avaient leur ration d'alcool, mais j'ignore à partir de quoi ce dernier était fabriqué. Le plus impressionnant, André, m'offrit de boire un coup à sa fiasque le jour où je passai la tête à la porte, suffoqué par la vapeur et la vue de ce colosse qui ressemblait à un génie. J'acceptai par politesse, mais recrachai le breuvage brun sur le carrelage, écœuré par sa tiédeur. Il me pinça le bras à la manière dont le cuisinier pinçait les fils de spaghetti et me dit que plus il fait chaud, plus le liquide qu'on boit doit être fort.

– Pourquoi crois-tu qu'ils boivent tant de rhum à la Martinique ?

Il me fit un gros clin d'œil en imitant la démarche de Son Altesse. Maintenant la voilà devant moi, et j'étais trop timide pour annoncer son melon.

Talleyrand toussota.

– Je ne raterai pas mon coup parce que vous grognez, fit-elle.

Il émit un nouveau toussotement, alors elle leva le nez, et quand elle me vit planté là, elle posa sa queue de billard et s'avança pour me délivrer de mon plateau.

– Je connais tous les domestiques, mais je ne te connais pas.

– Je viens de Boulogne, Majesté. J'ai été appelé pour servir la volaille.

Elle pouffa de rire et ses yeux inspectèrent ma personne de haut en bas.

– Tu n'es pas en tenue de soldat.

– Non, Majesté. Mes ordres étaient d'endosser l'habit de cour maintenant que je suis à la cour.

Elle hocha la tête.

– Je pense que tu pourrais être libre de choisir ton habit. Je le lui demanderai pour toi. Ne préférerais-tu pas entrer à mon service ? Le melon, c'est bien plus raffiné que la volaille.

J'étais horrifié. Avais-je parcouru tout ce chemin pour Le perdre ?

– Non, Majesté. Je ne connais rien au melon. Je ne connais que la volaille. J'y ai été formé.

Je m'exprime comme un gamin des rues.

Sa main s'attarda une seconde sur mon bras, et ses yeux se firent perçants.

– Je vois que tu es plein de zèle. Va-t'en maintenant.

Submergé de gratitude, je sortis à reculons avec force courbettes et retournai en courant à l'office, où j'avais une petite chambre à moi tout seul, privilège dû à mon statut de domestique personnel. J'y avais entreposé quelques livres, une flûte dont je voulais apprendre à jouer et mon journal. J'écrivis ou plutôt j'essayai d'écrire sur elle. Elle m'échappait comme m'avaient échappé les putains de Boulogne. À la place, je décidai d'écrire sur Napoléon.

Par la suite, je fus continuellement occupé par les banquets qui se succédaient, à mesure que tous nos territoires occupés venaient complimenter le futur Empereur. Alors que les convives se rassasiaient de poissons rares et de nouvelles recettes de veau en sauce, lui restait fidèle à ses poulets, en mangeant un entier chaque soir, habituellement sans toucher à la garniture de légumes. Personne ne s'en offusquait. Il lui suffisait de toussoter et la tablée se taisait. De temps en temps, je surprenais Sa Majesté en train de m'observer, mais si nos regards se croisaient, elle souriait de son air énigmatique et je baissais les yeux. Même de la regarder faisait tort à Bonaparte. Elle lui appartenait. Pour ce motif, j'enviais Joséphine.

Dans les semaines qui suivirent, il fut rongé par la peur morbide d'être empoisonné ou assassiné, non par souci de lui-même, mais parce que l'avenir de la France était en jeu. Il m'obligea à goûter à toute sa nourriture avant d'y toucher et il doubla sa garde. Le bruit courait qu'il regardait même sous son lit au moment de se coucher. Non qu'il dormît beaucoup. Il était comme les chiens ; il pouvait fermer les yeux et ronfler en un instant, mais quand son esprit était occupé, il était capable de rester éveillé des jours durant, cependant que ses généraux et ses amis s'écroulaient autour de lui.

Sans prévenir, à la fin du mois de novembre et seulement quinze jours avant son Couronnement, il me renvoya à Boulogne. Il dit qu'il me manquait l'entraînement d'un vrai soldat, que je le servirais mieux quand je manierais le mousquet aussi bien que le couteau à découper. Peut-être m'avait-il vu rougir, peut-être connaissait-il mes sentiments, il connaissait ceux de tout le monde. Il me tira l'oreille à son horripilante manière et promit que, l'année prochaine, une mission spéciale m'attendrait.

Je quittai donc la cité des rêves juste au moment où elle allait rayonner et n'eus que des nouvelles de seconde main de cette fastueuse matinée où Napoléon avait pris la couronne des mains du pape et l'avait posée lui-même sur sa tête avant de couronner Joséphine. On dit qu'il acheta le stock entier de la Veuve Clicquot pour la durée de l'année. Avec la disparition récente de son mari et tout le poids de ses affaires sur les épaules, cette dernière ne pouvait que bénir le retour d'un monarque. Elle n'était pas la seule. Paris ouvrit grandes ses portes et garda ses lustres allumés pendant trois jours. Seuls les vieux et les malades prirent la peine d'aller au lit, pour les autres ce ne fut qu'ivrognerie, folie et allégresse. (J'exclus les aristocrates, mais ils ne comptent pas.)

À Boulogne, lors de ce terrible hiver, je passais dix heures par jour à l'exercice et m'écroulais le soir dans un bivouac détrempé avec une paire de mauvaises couvertures. Nos vivres et nos conditions de vie avaient toujours été acceptables, mais en mon absence des milliers d'hommes s'étaient enrôlés, persuadés par les bureaux du clergé fervent de Napoléon que la route du Paradis passait par Boulogne. Personne n'était exempté du service. Il appartenait aux sergents recruteurs de décider qui resterait et qui partirait. À Noël, le camp regroupait plus de cent mille hommes et d'autres étaient attendus. Nous courions, chargés de paquetages qui pesaient une vingtaine de kilos, pataugions dans la mer, combattions au corps à corps et recourions à toutes les terres cultivées pour nous nourrir. Mais ce n'était pas suffisant et, malgré la méfiance de Napoléon à l'égard des fournisseurs de l'armée, nous tirions la majorité de notre viande de régions obscures et, à mon avis, d'animaux qu'Adam n'aurait pas reconnus. Deux livres de pain, quatre onces de viande et quatre onces de légumes constituaient notre ration quotidienne. Nous volions ce que nous pouvions, dépensions notre solde, quand nous la touchions, en repas à la taverne et ravagions les paisibles communes des environs. Napoléon en personne ordonna qu'on envoyât des *vivandières** dans certains camps. *Vivandière* est un euphémisme de l'armée. Il nous envoya des putains qui n'avaient aucune raison de *vivre**. Leur pitance était souvent pire que la nôtre, elles nous supportaient aussi longtemps que nous tenions debout et la paye était maigre. Les putains bien rembourrées des villes avaient pitié d'elles et venaient souvent visiter les campements, armées de couvertures et de miches de pain. Les *vivandières* se recrutaient chez les fugitives, les vagabondes, les benjamines de familles nombreuses, les jeunes servantes qui étaient fatiguées de se donner à des maîtres ivrognes et les vieilles poissardes qui ne pouvaient plus exercer leur métier ailleurs. À l'arrivée, chacune se voyait attribuer un jeu de sous-vêtements et une robe qui leur glaçait la poitrine par les jours de vent froid. Des châles étaient également distribués, mais toute femme trouvée emmitouflée en service s'exposait à être dénoncée et mise à l'amende. Qui disait amende disait pas d'argent cette semaine au lieu d'une misère. À la différence des putains de la ville, qui se protégeaient, prenaient ce qu'elles voulaient et ne prenaient certainement qu'un client à la fois, les *vivandières* étaient obligées, jour et nuit, d'accepter autant d'hommes qui se présentaient. Une malheureuse que je croisais alors qu'elle rentrait chez elle après une réunion d'officiers me dit qu'elle avait perdu le compte à trente-neuf.

Le Christ perdit conscience à trente-neuf.

Cet hiver-là, la plupart d'entre nous eûmes de belles plaies aux endroits où la peau était irritée par le sel et le vent. Les plus communes étaient celles entre les orteils ou sur la lèvre supérieure. Une moustache ne servait à rien, les poils aggravaient l'excoriation.

À Noël, si les *vivandières* n'eurent pas un moment de libre, nous autres, nous nous installions autour des feux avec notre supplément de bûches pour porter des toasts à l'Empereur grâce à notre supplément d'eau-de-vie. Patrick et moi nous régalâmes d'une oie que j'avais volée ; avec une joie coupable nous la fîmes cuire et la dévorâmes en haut de sa colonne. Nous aurions dû la partager, mais les choses étant ce qu'elles étaient, nous avions encore faim. Il me raconta des histoires d'Irlande, de feux de tourbe et de lutins qui habitent sous les collines.

– C'est vrai, ces petits êtres ont réduit mes bottes à la taille d'un ongle du pouce.

Il me dit qu'il était sorti braconner par une belle nuit de juillet, très claire à cause de la lune et d'un immense semis d'étoiles. Comme il s'enfonçait dans la forêt, il vit brûler à hauteur d'hommes un anneau de flammes vertes. Au centre de l'anneau, il y avait trois lutins. Il savait que c'étaient des lutins, et pas des elfes, à leurs pelles et à leurs barbes.

– Alors je demeurai aussi silencieux qu'une cloche d'église le samedi soir et m'approchai d'eux comme on le ferait d'un faisan.

Il les avait entendus discuter de leur trésor, dérobé aux fées et enfoui sous la terre à l'intérieur de l'anneau de feu. Soudain l'un des lutins avait levé le nez au vent et reniflé d'un air suspicieux.

– Je flaire un homme, déclara-t-il. Un homme sale aux bottes pleines de boue.

Un deuxième éclata de rire.

– Quelle importance ? Personne ne peut pénétrer dans notre chambre secrète avec des bottes crottées.

– Ne prenons pas de risques, décampons, reprit le premier, et en un clin d'œil ils disparurent, y compris l'anneau de feu.

Pendant quelques instants, Patrick resta immobile au milieu des feuilles à méditer ce qu'il venait d'entendre. Puis, s'assurant qu'il était seul, il ôta ses bottes et se coula à l'ancien emplacement de l'anneau de feu. Par terre, il n'y avait aucune trace de combustion, mais les plantes de ses pieds lui picotaient.

– Alors j'ai compris que c'était un lieu magique.

Il avait creusé toute la nuit et, au matin, n'avait rien trouvé hormis un couple de taupes et un tas de vers. Épuisé, il était allé reprendre ses bottes ; elles étaient toujours là.

– À peine plus grandes que l'ongle du pouce.

Il fouilla ses poches et me tendit une minuscule paire de bottes, parfaitement réalisées, les talons usés et les lacets effilochés.

– Et je te jure qu'elles m'allaient autrefois.

Je ne savais pas si je devais le croire ou non, et il me vit froncer les sourcils.

– J'ai fait tout le chemin du retour pieds nus et quand je suis parti dire la messe ce matin-là, j'ai pu à peine boitiller jusqu'à l'autel. J'étais si fatigué que j'ai renvoyé mes paroissiens chez eux. (Il m'adressa un sourire narquois et me tapa sur l'épaule.) Fais-moi confiance, je t'en raconterai des histoires.

Il m'a raconté aussi d'autres histoires. Des histoires sur la Sainte Vierge, en qui on ne pouvait pas avoir confiance.

– Les femmes, il n'y a pas plus malin, disait-il. Elles voient toujours clair dans nos mensonges. La Sainte Vierge est aussi une femme, pourtant elle est sainte, et je ne connais aucun homme qui soit rentré dans ses bonnes grâces. Tu peux prier nuit et jour, elle ne t'écoutera pas. Si tu es un homme, tu ferais mieux de rester fidèle à Jésus.

Je murmurai quelque chose sur le rôle d'intercesseur de la Sainte Vierge.

– Oui, mais elle n'intercède que pour les femmes. Tiens, nous avions une statue chez nous, si vivante qu'on aurait dit la Sainte Mère en personne. Tantôt les femmes venaient avec leurs larmes et leurs fleurs, et moi qui étais caché derrière un pilier, je peux te jurer sur tous les saints que la statue bougeait. Mais quand les hommes se présentaient, la casquette à la main, pour demander ceci ou cela et dire leurs prières, cette statue restait comme la pierre dont elle était faite. Je n'ai cessé de leur répéter la vérité : « Adressez-vous à Jésus », je leur disais (il avait sa statue juste à côté), mais ils n'y prenaient pas garde parce que tout homme aime à croire qu'il y a une femme qui l'écoute.

– Tu ne la pries donc pas ?

– Que non. Nous avons trouvé un accommodement, pourrait-on dire. Je m'occupe d'elle, lui témoigne le respect qui lui est dû et nous nous laissons mutuellement en paix. Elle serait différente si Dieu ne l'avait pas violée.

De quoi parlait-il ?

– Vois-tu, les femmes aiment qu'on les traite avec respect. Qu'on demande avant de toucher. Bon, je n'ai jamais trouvé que c'était très élégant de la part de Dieu d'envoyer son ange sans lui demander la permission et ensuite d'arriver à ses fins avant même qu'elle ait eu le temps de se recoiffer. Je ne pense pas qu'elle le lui ait jamais pardonné. Il était trop pressé. En conséquence, je ne peux reprocher à la Sainte Vierge de se montrer si hautaine à présent.

Je n'avais jamais songé à la Reine des Cieux sous ce jour.

Patrick aimait les filles et ne dédaignait pas de se rincer l'œil en catimini.

– Quand les choses deviennent sérieuses, je ne prendrais jamais une femme sans lui donner le temps de se recoiffer.

Nous avons passé la fin de notre congé de Noël au sommet de sa colonne, à jouer aux cartes, bien à l'abri derrière les tonneaux de pommes. Mais le soir du Nouvel An, Patrick déplia son échelle et décréta que nous devions aller communier.

– Je ne suis pas croyant.

– Alors tu m'accompagneras en ami.

Il me fit miroiter une bouteille d'eau-de-vie pour la suite et nous voilà donc partis à travers les rues glacées en direction de la chapelle des marins que Patrick préférait aux offices de l'armée.

Elle se remplissait lentement d'hommes et de femmes de la ville, qui, s'ils étaient bien couverts contre le froid, n'en étaient pas moins vêtus de leurs plus beaux atours. Nous étions les seuls du camp. Probablement les seuls à être encore sobres par ce temps effroyable. L'église était on ne peut plus simple mis à part ses vitraux et la statue de la Reine des Cieux drapée dans une robe rouge. Malgré moi, je la saluai discrètement et Patrick, qui m'avait vu, me gratifia de son petit sourire narquois.

Nous chantâmes à pleine voix ; la chaleur et la promiscuité humaine firent fondre mon cœur de mécréant, et moi aussi, je vis Dieu sous les frimas. Les fenêtres sans vitrail étaient constellées de givre, et les dalles de pierre où nous nous agenouillions froides comme la tombe. Les plus anciens avaient l'air digne et le visage souriant, tandis que les enfants, dont certains étaient si pauvres qu'ils gardaient leurs mains au chaud sous des bandages, avaient des cheveux d'ange.

La Reine des Cieux baissa les yeux.

Après avoir posé nos missels tachés que seul un petit nombre d'entre nous était capable de lire, nous reçûmes la communion avec un cœur pur, et Patrick, qui s'était taillé la moustache, courut refaire la queue et réussit à avoir deux hosties.

– Double bénédiction, me chuchota-t-il.

Je n'avais absolument pas eu l'intention de communier, mais mon envie de bras ronds et de sécurité, et la paix sacrée qui régnait me firent me lever et descendre l'allée où des étrangers cherchaient mes yeux comme si j'étais leur fils. À genoux, avec l'encens qui me grisait et le lent cérémonial du prêtre qui calmait mon cœur battant, je repensais à une existence dédiée à Dieu, je pensais à ma mère, qui en ce moment devait être elle aussi à genoux, si loin et les mains ouvertes pour recevoir sa part de Paradis. Dans mon village, toutes les maisons seraient vides et silencieuses, mais la grange serait pleine. Pleine d'honnêtes gens qui, n'ayant pas d'église, en créeraient une ensemble. Avec leur corps et leur sang.

Imperturbable, le bétail dort.

Je reçus l'hostie sur la langue, et elle me brûla le palais. Le vin avait le goût des morts, de deux mille morts. Sur le visage du prêtre, je vis des morts qui m'accusaient. Je vis des tentes trempées à l'aube. Je vis des femmes à la gorge bleuie. Je me cramponnai au calice, bien que je sentisse le curé tenter de me l'arracher.

Je me cramponnai au calice.

Lorsque le curé eut délicatement desserré mes doigts, je vis l'empreinte de l'argent sur chacune de mes paumes. Étaient-ce là mes stigmates ? Devrais-je saigner pour chaque mort ou vie de misère ? Si cela arrivait à un soldat, il n'y aurait plus de soldats. Nous disparaîtrions sous la colline avec les lutins. Nous épouserions les sirènes. Nous ne partirions jamais de la maison.

Je laissai Patrick à sa seconde communion et sortis dans la nuit glaciale. Il n'était pas encore minuit. Pas de cloches qui sonnaient, pas de fusées qui s'allumaient pour proclamer la nouvelle année et glorifier Dieu et l'Empereur.

Cette année-ci est finie, me dis-je. Cette année-ci se termine sans espoir de retour. Domino a raison, seul compte l'instant présent. Oublie-la. Oublie-la. Tu ne peux pas la ressusciter. Tu ne peux pas les ressusciter.

On prétend que chaque flocon est différent. Si c'était vrai, comment le monde pourrait-il continuer à tourner ? Comment oserions-nous abandonner la position à genoux ? Comment nous remettrions-nous d'une telle merveille ?

En oubliant. Nous sommes incapables de garder trop de choses présentes à l'esprit.

Seul existe le présent, et non les souvenirs.

Sur les pavés, encore visible sous la couche de verglas, un enfant a gribouillé une grille de morpion avec une craie rouge de tailleur. On joue, on gagne, on joue, on perd. On joue. C'est le jeu qui est irrésistible. D'une année sur l'autre, jouer aux dés les choses qu'on aime, ce qu'on risque révélant ce à quoi l'on attache du prix. Je m'assis par terre et, en grattant dans la glace, dessinai mon propre carré de zéros innocents et de croix vengeresses. Peut-être que le Diable jouerait avec moi. Ou la Reine des Cieux. Napoléon, Joséphine. Est-ce si important par qui l'on se fait battre, si l'on perd ?

La chapelle résonna du rugissement du dernier cantique.

Foin des cantiques tièdes qu'on entend par ces dimanches monotones où les paroissiens préféreraient rester au lit ou auprès de leurs bien-aimées. Foin des prières languissantes adressées à un Dieu exigeant. C'étaient l'amour et la confiance qui tombaient des chevrons, ouvraient les portes de l'église, chassaient le froid des pierres, arrachaient des larmes aux pierres. L'église entière vibrait.

Mon âme magnifie le Seigneur.

Qu'est-ce qui les mettait en joie ?

Qu'est-ce qui rendait des gens transis et affamés si sûrs que la nouvelle année ne pourrait être pire ? Était-ce Lui, Lui sur le trône ? Leur petit Seigneur en tenue de campagne ?

Quelle importance ? Pourquoi m'interroger sur des choses que je sais être réelles ?

Du bas de la rue accourt une femme en cheveux, dont les bottes jettent des étincelles orangées sur la glace. Elle rit. Elle tient un bébé contre elle. Elle vient droit vers moi.

– Bonne année, soldat.

Son bébé est très éveillé avec des yeux bleu clair et de drôles de doigts qui vont de mes boutons à mon nez avant de se tendre dans ma direction. Je les enlace tous les deux dans mes bras et nous formons une ombre insolite qui oscille légèrement à côté du mur. Le cantique est terminé et ce silence brutal me prend par surprise.

Le bébé a un renvoi.

Alors les fusées s'élèvent de l'autre côté de la Manche et, malgré une distance de trois kilomètres, de grandes acclamations parviennent clairement à nos oreilles en provenance du camp. La femme se dégage, m'embrasse et disparaît avec ses talons étincelants. Que la Reine des Cieux soit avec elle.

Les voilà, le Seigneur ancré au fond de leurs cœurs pour un an de plus. Bras sous le bras, serrés les uns contre les autres, certains courent, d'autres marchent à grandes enjambées comme les invités d'une noce. Le prêtre se tient à la porte de son église, planté dans une flaque de lumière, et, autour de lui, les enfants de chœur en écarlate protègent les cierges du vent. Depuis l'autre côté de la rue où je me tiens, j'entrevois par la porte ouverte la travée centrale jusqu'à l'autel. L'église est déserte maintenant, à l'exception de Patrick qui reste debout contre la balustrade de l'autel et me tourne le dos. Le temps qu'il sorte, les cloches sonnent à toute volée, et au moins une douzaine de femmes inconnues m'ont jeté les bras autour du cou pour me bénir. La plupart des hommes traînent par groupes de cinq ou six, toujours dans les parages de l'église, mais les femmes se prennent par la main et font une grande ronde qui bloque le passage et occupe l'espace d'un bout à l'autre de la chaussée. Elles se mettent à danser et tournent de plus en plus vite, tant et si bien que mes yeux ont du mal à les suivre. Je ne connais pas leur chanson, mais elles ont des voix vibrantes.

Séquestrez mon cœur.

Où que soit l'amour, je veux y être, je le poursuivrai aussi sûrement que le saumon prisonnier des terres rejoint la mer.

– Goûte-moi ça, fit Patrick, poussant une bouteille vers moi. Tu ne retrouveras pas sa pareille de sitôt.

– Où l'as-tu dénichée ? (Je respirai le bouquet : il était rond, fruité et capiteux.)

– Derrière l'autel. Ils se réservent toujours un bon petit vin.

En rentrant à pied au camp, nous croisâmes une bande de soldats portant l'un des leurs qui s'était jeté dans la mer pour saluer le Nouvel An. Il n'était pas mort, mais il avait trop froid pour parler. Ils l'emmenaient se réchauffer dans un bordel.

Des soldats et des femmes. Ainsi va le monde. Tout autre rôle est temporaire. Tout autre rôle n'est qu'une forme de salut.

Nous dormîmes dans la tente des cuisines, manière de concession à des températures au-dessous de zéro inimaginables. Et insensibles. Le corps se replie sur lui-même quand il lui faut supporter trop de choses ; dans l'attente des jours meilleurs, il vit tranquillement sa vie à l'intérieur, vous laissant engourdi et à demi mort. Avec des corps gelés tout autour de nous, des ivrognes qui cuvaient le Nouvel An, nous finîmes la bouteille et l'eau-de-vie et fourrâmes nos pieds sous les sacs de pommes de terre, sans bottes, mais c'est tout. J'écoutai la respiration régulière de Patrick s'enfler en un ronflement. Il était perdu dans son monde de lutins et de trésor, toujours convaincu qu'il trouverait le sien, ne fût-ce qu'une bouteille de vin de sacristie. Peut-être que la Reine des Cieux l'aimait bien.

Je restai éveillé jusqu'à ce que les mouettes lancent leurs cris. C'était le premier de l'an 1805, et j'avais vingt ans.

Deux

La Dame de pique

Il existe une cité entourée d'eau avec des canaux en guise de rues et de routes, et des passages envasés que seuls les rats peuvent traverser. Si vous vous trompez de chemin, ce qui est facile, vous risquez de vous retrouver face à une centaine d'yeux gardant un immonde palais rempli de ballots et d'ossements. Si vous prenez le bon chemin, ce qui n'est pas difficile, vous pouvez rencontrer une vieille femme sous un porche. Elle vous dira la bonne aventure suivant votre mine.

C'est la ville des labyrinthes. Vous pouvez aller tous les jours d'un endroit à un autre sans jamais faire le même trajet. Dans le cas contraire, ce sera par erreur. Votre instinct de limier ne vous servira à rien. Votre itinéraire établi à la boussole vous trompera. Vos instructions confiantes conduiront les passants à des places dont ils n'ont jamais entendu parler, à des canaux qui ne sont pas répertoriés sur les plans.

Bien que, où que vous alliez, ce soit toujours devant vous, « tout droit » ne veut rien dire ici. Aucun raccourci à vol d'oiseau ne vous aidera à atteindre le café sur la berge d'en face. Les raccourcis, avec leurs trouées impossibles, leurs angles de rues qui semblent vous entraîner dans le sens opposé, sont le domaine réservé des chats. Mais ici, dans cette cité vif-argent, il est recommandé d'avoir la foi.

Avec la foi, tout devient possible.

La rumeur veut que les habitants de cette ville marchent sur l'eau. Encore plus étrange, qu'ils aient les pieds palmés. Pas tous, seulement les bateliers dont le métier est héréditaire.

C'est la légende.

Lorsque la femme d'un batelier se trouve enceinte, elle attend la pleine lune et que la ville soit vide de promeneurs. Puis elle sort la barque de son époux et rame en direction d'une île funeste où les morts sont enterrés. Elle laisse son embarcation dont elle a orné l'avant de romarin, afin que les défunts ne puissent pas rentrer avec elle, et se rend en hâte sur la tombe du dernier membre de la famille décédé. Elle a apporté des offrandes : une fiasque de vin, une mèche de cheveux de son mari et une pièce d'argent. Elle doit déposer ses offrandes sur le caveau et prier pour un cœur pur, si son enfant est une fille, et pour les pieds d'un batelier si c'est un garçon. Il n'y a pas de temps à perdre. Elle doit être revenue chez elle avant l'aube et il faut que la barque reste un jour et une nuit recouverte de sel. Ainsi les bateliers conservent-ils leurs secrets et leur métier. Aucun nouveau venu ne peut leur faire concurrence. Et aucun batelier ne retirera ses bottes, même si l'on tente de le soudoyer. J'ai vu des touristes jeter des diamants aux poissons, mais je n'ai jamais vu un batelier retirer ses bottes.

Une fois, il était un homme faible et sot dont l'épouse nettoyait le bateau, vendait le poisson, élevait les enfants et allait sur l'île funeste comme elle le devait chaque fois que revenait la date fatidique. Leur maison était chaude en été et froide en hiver, et il y avait trop peu à manger pour des bouches trop nombreuses. Il arriva qu'en transportant un touriste d'une église à une autre, ce batelier engagea la conversation avec son passager, lequel aborda la question des pieds palmés. En même temps, il tirait une bourse d'or de sa poche qu'il déposa en silence au fond de la barque. L'hiver était proche, le batelier efflanqué, et il pensa qu'il n'y avait pas grand mal à délacer une botte et à autoriser le visiteur à se rendre compte par lui-même. Le lendemain matin, la barque fut retrouvée par deux prêtres sur le chemin de la messe. Le touriste tenait des propos incohérents et tirait sur ses doigts de pied. Le batelier s'était volatilisé. On emmena le touriste à l'asile, à San Servelo, un établissement tranquille réservé aux malades mentaux qui ont de la fortune. Autant que je sache, il est toujours là-bas.

Et le batelier ?

C'était mon père.

Je ne l'ai pas connu parce que je n'étais pas née quand il a disparu.

Quelques semaines après que ma mère eut hérité d'une barque vide, elle s'aperçut qu'elle était enceinte. Bien que son avenir fût incertain et qu'elle ne fût plus à proprement parler mariée à un batelier, elle décida de respecter le rite macabre et, la nuit dite, elle traversa silencieusement la lagune à la rame. Comme elle amarrait son embarcation, un hibou qui volait un peu bas lui heurta l'épaule avec son aile. Elle n'était pas blessée, mais elle recula en hurlant et, ce faisant, lâcha la branche de romarin dans la mer. Un instant elle songea à faire aussitôt demi-tour, puis, se signant, elle se précipita vers la tombe de son père et disposa ses offrandes. Elle savait que son mari aurait dû avoir les honneurs, mais il n'y avait pas de tombe à son nom. Comme cela lui ressemblait, songea-t-elle, d'être aussi absent dans la mort qu'il l'était dans la vie. Son devoir accompli, elle s'éloigna du rivage qu'évitaient même les crabes et ensuite recouvrit sa barque de tant de sel qu'elle sombra.

La Sainte Vierge devait veiller sur elle. Avant même que je naisse, elle se remaria. Cette fois, avec un boulanger florissant qui avait les moyens de se reposer le dimanche.

L'heure de ma naissance coïncida avec une éclipse de soleil, et ma mère fit de son mieux pour ralentir le travail et attendre la fin du phénomène. Mais j'étais déjà aussi impatiente que maintenant et je sortis la tête alors que la sage-femme était en bas en train de faire chauffer du lait. Une jolie tête avec une crinière de cheveux roux et des yeux qui compensaient l'éclipse du soleil.

Une fille.

Ce fut une naissance facile, et la sage-femme me suspendit par les pieds jusqu'à ce que je me misse à brailler. Mais au moment où ils m'étendirent pour me sécher, ma mère s'évanouit et la sage-femme ressentit le besoin d'ouvrir une seconde bouteille de vin.

J'avais les pieds palmés.

De mémoire de batelier, il n'y avait jamais eu de fille aux pieds palmés. Dans sa syncope, ma mère eut des visions de romarin et se blâma de sa négligence. À moins qu'elle ne dût se reprocher son plaisir insouciant avec le boulanger ? Elle n'avait plus pensé à mon père depuis que son bateau avait sombré mais elle n'avait pas non plus beaucoup pensé à lui quand il était à flot. La sage-femme sortit son couteau à grosse lame et offrit de trancher sur-le-champ les parties offensantes. Ma mère opina faiblement du bonnet, s'imaginant que je ne souffrirais pas ou qu'une souffrance passagère valait mieux qu'une infirmité de toute une vie. La sage-femme tenta de faire une incision dans le triangle translucide entre mes deux premiers orteils, mais son couteau dérapa sur la peau sans laisser de marque. Elle ressaya, encore et encore, entre les doigts de chaque pied. Elle tordit la pointe du couteau, mais ce fut tout.

– C'est la volonté de la Vierge, dit-elle à la fin, terminant la bouteille. Aucun couteau ne peut couper ça.

Ma mère commença à pleurer et à se lamenter et persista dans cette voie jusqu'au retour de mon beau-père. C'était un homme du monde : il n'allait pas se laisser émouvoir par une paire de pieds palmés.

– Personne ne verra rien tant qu'elle portera des chaussures et quand on en viendra au mari, voyons, ce ne sont pas les pieds qui l'intéresseront.

Ce qui consola quelque peu ma mère ; nous passâmes les dix-huit années suivantes dans une ambiance familiale normale.

Depuis que Bonaparte a pris notre cité des labyrinthes en 1797, nous nous sommes plus ou moins abandonnés au plaisir. Qu'y a-t-il d'autre à faire quand on a vécu une existence libre et fière, et que soudain l'on n'est plus fier ni libre ? Nous devînmes une île enchantée pour les fous, les riches, les désabusés, les dépravés. Si nos jours de gloire étaient derrière nous, nos excès en étaient à leur début. Cet homme démolissait nos églises sur un coup de tête et pillait nos trésors. Sa chère épouse porte sur sa couronne des joyaux qui sortent de Saint-Marc. Mais, entre toutes nos misères, il détient notre groupe équestre moulé par des hommes qui, écartelés entre Dieu et le Diable, emprisonnèrent la vie sous une forme d'airain. Il a enlevé les chevaux de la basilique pour les faire ériger sur une place quelconque à Paris, cette catin des capitales[1].

1. Les quatre chevaux du Carrousel, qui reprirent leur place d'origine à la chute de l'Empire.

Il y avait quatre églises que j'aimais et qui se dressaient au bord de la lagune, face aux îlots paisibles qui nous entourent. Il les a fait abattre pour mettre un jardin public à la place. Pourquoi voudrions-nous d'un jardin public ? Et si c'était le cas et que nous eussions eu pouvoir de décision, nous ne l'aurions jamais rempli de centaines de pins disposés en rangs d'oignons. On dit que Joséphine est une botaniste. N'aurait-elle pas pu nous trouver quelque chose d'un peu plus exotique ? Je ne déteste pas les Français. Mon père les aime. Ils ont fait prospérer ses affaires par leur goût immodéré des pâtisseries.

Il m'a donné aussi un nom français.

Villanelle. C'est assez joli.

Je ne déteste pas les Français. Je les ignore.

Quand j'ai eu dix-huit ans, j'ai commencé à travailler au Casino. Une fille n'a pas grand choix. Je ne voulais pas entrer à la boulangerie et vieillir avec des mains rougeaudes et des avant-bras comme des cuisses. Je ne pouvais pas être danseuse, pour des raisons évidentes, et ce que j'aurais le plus aimé faire, conduire une barque, était interdit aux personnes de mon sexe.

Quelquefois je sortais quand même le bateau, ramais seule pendant des heures le long des canaux et m'aventurais dans la lagune. J'ai appris les secrets des bateliers par l'observation mais aussi d'instinct.

Si je voyais la poupe d'une barque disparaître au fond d'un chenal sombre et inhospitalier, je la suivais et découvrais la cité dans la cité que ne connaît qu'une minorité. Dans cette cité intérieure, il y a des voleurs, des Juifs et des orphelins aux yeux bridés qui viennent des déserts de l'Orient. Ils rôdent en bandes comme les chats et les rats, et courent après la même nourriture. Personne ne sait pourquoi ils sont là ni quel sinistre navire les a débarqués. On dirait qu'ils meurent à douze ou treize ans et pourtant ils sont toujours aussi nombreux. J'en ai vu se battre au couteau pour un ignoble tas de poulets.

Il y a également des émigrés. Des hommes et des femmes chassés de leurs palais étincelants dont l'élégante façade donne sur des canaux miroitants. Des hommes et des femmes qui sont officiellement morts sur les registres parisiens de l'état civil. Ils vivent ici, chacun avec sa pièce dépareillée de vaisselle d'or fourrée dans un sac au moment de s'enfuir. Tant que les Juifs achèteront la vaisselle et que celle-ci durera, ils survivront. Quand on voit les cadavres flotter le ventre en l'air, l'on est sûr qu'il n'y a plus d'or.

Une femme qui possédait une flottille de bateaux et un troupeau de chats, et faisait le commerce des épices, habite maintenant dans la cité du silence. J'ignore son âge, ses cheveux sont verts à cause de la vase qui suinte des murs de la niche où elle vit. Elle se nourrit des matières végétales qui s'accrochent aux pierres lorsque la marée est paresseuse. Elle n'a plus de dents. Elle n'en a pas besoin. Elle porte encore les tentures qu'elle a arrachées à la fenêtre de son salon avant de disparaître. Elle s'enroule dans l'une et drape l'autre sur ses épaules à la manière d'une cape. Elle dort dans cet attirail.

Je lui ai parlé. Quand elle entend une barque passer, elle pointe la tête hors de sa tanière et demande quelle heure il peut être. Jamais quelle heure il est ; elle est trop philosophe pour cela. Je l'ai aperçue une fois, le soir, sa chevelure de sorcière illuminée par une lampe qu'elle a. Elle disposait des bouts de viande moisie sur une nappe. Il y avait des coupes de vin devant elle.

– Je reçois à dîner, glapit-elle, comme je passais de l'autre côté. Je t'aurais bien invitée, mais je ne sais pas comment tu t'appelles.

– Villanelle, criai-je en réponse.

– Tu es vénitienne, mais tu te caches derrière ton nom. Méfie-toi des dés et des jeux de hasard.

Elle se retourna vers sa nappe et, bien que nous nous soyons revues, elle ne m'a jamais appelée par mon nom ni montré qu'elle me reconnaissait.

J'allai travailler au Casino, où je ratissais les dés, étalais les cartes et, à l'occasion, volais à la tire. Il y avait chaque soir une pleine cave de buveurs de champagne et un chien aussi féroce qu'affamé s'occupait des mauvais payeurs. Je m'habillais en garçon parce que les clients y trouvaient leur compte. Cela faisait partie du jeu d'essayer de deviner quel sexe se cachait sous cette culotte moulante et ce maquillage outré.

C'était le mois d'août. Une nuit étouffante et l'anniversaire de Bonaparte. Nous devions assister à sa célébration sur la place Saint-Marc, bien que ce que nous, Vénitiens, devions célébrer, ne fût pas très clair. En accord avec nos coutumes, il devait y avoir un bal masqué et le Casino installait dehors tables de jeu et loges de baccara. Notre ville grouillait de noceurs français et autrichiens, du flot habituel d'Anglais hébétés et même d'une bande de Russes déterminés à obtenir satisfaction. Satisfaire nos hôtes est ce que nous savons faire de mieux. Il faut y mettre le prix, mais le plaisir est au rendez-vous.

Je fardai mes lèvres de vermillon et barbouillai mon visage de poudre blanche. Je n'avais pas besoin d'ajouter un grain de beauté, car la nature m'en avait mis un juste au bon endroit. Je portai ma culotte jaune du Casino avec un passepoil des deux côtés de chaque jambe et une chemise de corsaire qui dissimulait mes seins. C'était le règlement, mais, pour m'amuser, je rajoutai une moustache. Peut-être aussi pour me protéger. Les nuits de carnaval, il y a trop de passages sombres et trop de gens ivres.

Tout au bout de notre incomparable place que Bonaparte a qualifiée avec mépris de salon le plus raffiné d'Europe, nos ingénieurs avaient monté un cadre en bois garni de poudre à canon. Celle-ci devait être mise à feu à minuit, et j'avais bon espoir qu'avec tant de têtes levées vers le ciel, autant de poches seraient à ma portée.

Le bal commença à huit heures et moi, je commençai ma nuit à tirer des cartes dans la loge de baccara.

Dame de pique, on gagne ; as de trèfle, on perd. Rejouer. Qu'est-ce qu'on risque ? Sa montre ? Sa maison ? Sa maîtresse ? J'aime sentir leur excitation. Jusqu'aux plus calmes, aux plus riches qui dégagent ce parfum, quelque part entre peur et volupté. La passion, je suppose.

Il y a un homme qui vient au Casino jouer avec moi presque tous les soirs. Un homme corpulent avec, dans ses paumes, des coussinets de chair pareils à de la pâte à pain. Quand il me presse la nuque par-derrière, la transpiration fait chuinter ses mains. J'ai toujours un mouchoir sur moi. Il porte un gilet vert, et je l'ai vu en manches de chemise parce qu'il ne peut pas laisser rouler les dés sans les accompagner du mouvement. Il est en fonds. Il doit l'être. Il dépense en un instant ce que je gagne en un mois. Pourtant, il est malin, en dépit de ses égarements à la table. La plupart des joueurs fixent leur pochette ou leur bourse autour du bras quand ils sont ivres. Ils veulent que tout le monde sache qu'ils sont riches, bourrés d'or. Pas lui. Il a une escarcelle au fond de son pantalon et il plonge dedans, le dos tourné. Je ne pourrai jamais la lui voler.

Je ne vois pas ce qu'il pourrait y avoir d'autre là-dedans.

Il se pose les mêmes questions à mon sujet. Je le surprends en train d'observer mon entrejambe, et de temps en temps je porte une braguette pour le narguer. J'ai de petits seins, donc aucun renflement ne peut me trahir, et je suis grande pour une fille, surtout pour une Vénitienne.

Je me demande ce qu'il dirait de mes pieds.

Ce soir, il arbore son meilleur habit et sa moustache brille. J'étale les cartes en éventail devant lui, les ramasse, les bats et les étale à nouveau. Il en choisit une. Trop petite pour gagner. En choisit une autre. Trop forte. Un gage. Il rit et jette une pièce sur le comptoir.

– Vous vous laissez pousser la moustache depuis deux jours.

– Je viens d'une famille très velue.

– Cela vous sied.

Ses yeux s'égarent comme d'habitude, mais je campe dans ma loge. Il exhibe une autre pièce. Je distribue. Le valet de cœur. Une mauvaise carte, ce n'est pourtant pas son avis. Il promet de revenir et, prenant le valet comme porte-bonheur, il gagne la table de jeu. Son postérieur déforme son veston. Ils emportent toujours une carte. Je me demande si je sors un nouveau paquet ou si je mystifie le prochain client. Je pense que cela dépendra de sa tête.

J'adore la nuit. Dans le temps, à Venise, quand nous avions notre propre calendrier et que nous nous tenions à l'écart du monde, nous commencions à vivre la nuit. À quoi nous servait le soleil puisque notre commerce, nos secrets et notre diplomatie dépendaient de l'obscurité ? Dans le noir, on est comme déguisé, or c'est la ville des déguisements. À cette époque (que j'ai du mal à situer dans la chronologie parce que cette dernière a à voir avec la lumière du jour), à cette époque donc, quand le soleil se couchait, nous ouvrions nos portes pour glisser le long des eaux pleines d'anguilles avec une lumière masquée à la proue. Tous nos bateaux étaient noirs alors et ne laissaient aucune trace à la surface de l'eau. Nous négocions de la soie et des parfums. Des émeraudes et des diamants. Des affaires d'État. Nous n'avons pas construit nos ponts uniquement pour éviter de marcher sur l'eau. Rien de si tapageur. Un pont est un lieu de rencontre. Un lieu neutre. Un lieu de passage. Des adversaires choisiront de se rencontrer sur un pont et de vider leur querelle dans ce vide. L'un passera de l'autre côté. L'autre ne reviendra pas. Pour des amants, un pont est une possibilité, une métaphore de leur bonne fortune. Quant au trafic de marchandises clandestines, quoi de mieux qu'un pont dans la nuit ?

Nous sommes un peuple philosophe, formé à l'essence du désir et de la cupidité, qui donnons la main à la fois à Dieu et au Diable. Nous ne voulons les lâcher ni l'un ni l'autre. Ce pont vivant est tentant pour tous et ici, vous risquez de perdre votre âme ou vous pouvez la sauver.

Et nos âmes à nous ?

Elles sont siamoises.

De nos jours, l'obscurité retient davantage de lumière que dans l'ancien temps. Il y a des fanaux partout et les soldats aiment voir les rues éclairées, distinguer des reflets sur les canaux. Ils se méfient de nos pieds légers et de nos couteaux pointus. Néanmoins, les ténèbres existent ; dans les passages oubliés ou au milieu de la lagune. L'obscurité y est sans pareille. Douce au toucher et pesante sur les épaules. On peut ouvrir la bouche et s'en laisser remplir jusqu'à ce qu'elle forme une boule serrée dans l'estomac. On peut jongler avec, l'éviter, nager dedans. On peut la forcer comme une porte.

Les anciens Vénitiens avaient des yeux de chat qui perçaient la nuit la plus profonde et les entraînaient dans des chemins impénétrables sans trébucher. Encore aujourd'hui, si on y regarde de près, à la lumière du jour, l'on s'apercevra que certains des nôtres ont les yeux fendus.

Je croyais que les ténèbres et la mort étaient vraisemblablement la même chose. Que la mort équivalait à l'absence de lumière. Que la mort n'était rien de plus que le royaume des ombres où des êtres achetaient, vendaient et s'aimaient comme partout, quoique avec moins de conviction. La nuit paraît plus fugitive que le jour, surtout aux amoureux, et aussi plus incertaine. De ce point de vue, elle résume bien nos vies, qui sont fugitives et incertaines. Nous l'oublions le jour. Dans la journée, nous allons toujours de l'avant. C'est la cité de l'incertitude, où les chemins et les visages se ressemblent sans se ressembler. La mort ne sera guère différente. Nous reconnaîtrons toujours des êtres qui nous sont inconnus.

Mais l'obscurité et la mort ne sont pas la même chose.

L'une est fugitive, la seconde non.

Nos funérailles sont une affaire d'État. Nous les organisons la nuit, retournant à nos sombres racines. Les barques noires effleurent l'eau et le cercueil est orné d'une croix de jais. Du haut de ma fenêtre, qui surplombe l'intersection de deux canaux, j'ai vu une fois le convoi d'un riche, pas moins de quinze barques (leur nombre doit être impair), qui glissait vers la lagune. Au même moment, chargée d'un cercueil enduit de poix faute de vernis, la barque d'un pauvre surgit au coin, manœuvrée par une vieille femme qui avait à peine la force de tirer sur ses rames. J'ai cru qu'ils allaient se heurter, mais les bateliers du notable souquaient ferme. Alors, sur un signe de main de la veuve, le convoi s'ouvrit à hauteur de la onzième barque et fit de la place pour le pauvre ; un filin fut jeté autour de la proue de sorte que la vieille n'eut qu'à guider son embarcation. Ils continuèrent ainsi en direction de la funeste île de San Michele et je les perdis de vue.

Quant à moi, si je dois mourir, je désirerais être seule, loin du monde. J'aimerais m'étendre en mai sur la pierre chaude jusqu'à ce que mes forces s'éteignent, puis me laisser tomber doucement au fond du canal. De telles choses sont encore possibles à Venise.

De nos jours, la nuit appartient aux viveurs, et ce soir, d'après leurs propres témoignages, c'est un *tour de force**. Il y a des cracheurs de feu dont la bouche écume de langues jaunes. Il y a un ours funambule. Il y a une troupe de douces petites filles aux corps lisses et roses qui offrent des amandes sucrées dans des coupes en cuivre. Il y a des femmes de toute sorte et toutes ne sont pas des femmes. Au centre de la place, les ouvriers de Murano ont soufflé une pantoufle de verre géante que l'on remplit sans arrêt de champagne. Pour le boire, il faut laper à la manière d'un chien et les touristes sont ravis. Un homme s'est déjà noyé, mais qu'est-ce qu'une mort au milieu de tant de vie ?

Au cadre de bois sur lequel attend la poudre à canon, on

a suspendu quantité de filets et de trapèzes. De ces hauteurs, des acrobates se balancent au-dessus de la place, projetant des ombres grotesques sur les danseurs en dessous. De temps à autre, l'un d'eux se pend par les genoux et vole un baiser à quiconque se trouve à sa verticale. J'aime ces baisers-là. Ils remplissent la bouche et laissent le corps libre. Pour bien embrasser, il ne faut rien faire d'autre. Pas de mains caressantes ou de cœurs battants. Les lèvres, et les lèvres seules, sont source de plaisir. La passion est plus douce démêlée brin à brin. Divisée et encore divisée comme du mercure, puis rassemblée seulement au dernier moment.

Vous voyez, je ne suis pas étrangère à l'amour.

Il se fait tard, qui vient là, un loup sur le visage ? Tentera-t-elle les cartes ?

Oui. Elle tient une pièce dans le creux de sa main de telle sorte que je dois aller l'y pêcher. Sa peau est chaude. J'étale les cartes. Elle choisit. Le dix de carreau. Le trois de trèfle. Puis la Dame de pique.

– Une bonne carte. Le symbole de Venise. Vous avez gagné.

Elle me sourit et, ôtant son masque, découvrit une paire d'yeux gris-vert mouchetés d'or. Elle avait les pommettes hautes et rougies au fard. Les cheveux plus foncés et plus roux que les miens.

– Vous rejouez ?

Elle secoua la tête et se fit apporter une bouteille de champagne. De la Veuve Clicquot. La seule bonne chose qui vienne de France. Elle leva son verre pour porter un toast silencieux, peut-être en l'honneur de sa bonne fortune. La Dame de pique est une victoire sérieuse, l'une de celles que, d'habitude, l'on prend soin d'éviter. L'inconnue ne parlait toujours pas, mais m'observait à travers le cristal et, vidant subitement son verre, elle me caressa la joue. L'espace d'une seconde, elle me toucha et ensuite elle disparut, et je restai avec mon cœur qui cognait dans ma poitrine et les trois quarts d'une bouteille du meilleur champagne. Je veillai à dissimuler les deux.

Je suis pragmatique en amour et j'ai éprouvé du plaisir avec des hommes comme avec des femmes, mais je n'ai jamais eu besoin de protéger mon cœur. Mon cœur est un organe sûr.

À minuit, on enflamma la poudre, et le ciel au-dessus de la place Saint-Marc explosa en un million de fragments multicolores. Le feu d'artifice dura peut-être une demi-heure ; pendant ce temps-là, je réussis à ramasser suffisamment d'argent et payai un ami pour qu'il tienne ma loge un moment. Partant en chasse, je me faufilai dans la foule autour de la pantoufle de verre encore pétillante.

Elle s'était volatilisée. Il y avait des visages, des robes, des loups et des baisers à prendre, et des mains à tire-larigot, mais elle n'était pas là. Je fus retenue par un fantassin qui brandit deux boules de verre et me demanda si je voulais les échanger contre les miennes. Mais je n'étais pas d'humeur à badiner et je le bousculai pour passer, mendiant un signe des yeux.

La roulette. La table de jeu. Les diseurs de bonne aventure. La fabuleuse femme aux trois seins. Le singe chantant. Les dominos à double chiffre et le tarot.

Elle n'était pas là.

Elle n'était nulle part.

C'était l'heure et je regagnai ma loge, gorgée de champagne et le cœur vide.

– Il y a une femme qui te cherchait, me dit mon ami. Elle a laissé ceci.

Sur la table, il y avait une boucle d'oreille. Romaine à en juger les apparences, délicatement ouvrée et moulée dans ce vieil or jaune si particulier, inconnu de notre époque.

Je la mis à mon oreille, et étalant les cartes en un parfait éventail, je sortis la Dame de pique. Personne d'autre ne gagnerait ce soir. Je garderais sa carte jusqu'à ce qu'elle en ait besoin.

Les réjouissances se terminent bientôt.

À trois heures du matin, les fêtards s'égaillaient sous les arcades de la place ou s'effrondraient en masse près des cafés qui ouvraient de bonne heure pour servir du café fort. Le Casino fermait. Les caissiers remballaient leurs rouleaux bigarrés et leur optimiste tapis vert. J'avais fini mon service et le jour se levait à peine. D'ordinaire, je rentre droit à la maison et croise mon beau-père sur le chemin de la boulangerie. Il me tape sur l'épaule et lâche une boutade sur l'argent que j'encaisse. Drôle de bonhomme : un haussement d'épaules et un clin d'œil, c'est tout lui. Il n'a jamais trouvé bizarre que sa fille se travestisse pour gagner sa vie et revende par la bande des bourses de seconde main. Mais il n'a jamais non plus trouvé bizarre que sa fille naisse avec des pieds palmés.

– Il y a des choses plus étranges, disait-il.

Je suppose qu'il avait raison.

Ce matin, il n'est pas question de rentrer à la maison. Je suis droite comme un I, je ne tiens pas en place, et le plus raisonnable serait d'emprunter une barque et de me calmer à la manière vénitienne : sur l'eau.

Le Grand Canal est déjà encombré de bateaux des quatre saisons. Je suis la seule qui semble décidée à me distraire, et les autres me dévisagent avec curiosité, tout en arrimant une cargaison ou en discutant avec un ami. Ce sont mes compatriotes, ils ont le droit de me dévisager autant qu'ils le désirent.

Je pousse jusque sous le Rialto, cette étrange moitié de pont qui peut être levé afin d'empêcher une partie de la ville de se battre contre l'autre. Ils finiront par le fermer et nous serons frères et mères. Mais ce serait le comble du paradoxe.

Les ponts séparent autant qu'ils relient.

Désormais au large, passé les maisons qui s'enfoncent dans l'eau. Passé aussi le Casino. Passé les prêteurs sur gages, les églises et les bâtiments officiels. Désormais au large sur la lagune, en la seule compagnie du vent et des mouettes.

Une assurance certaine vient des rames, du sens des générations successives qui ont ainsi ramé debout avec rythme et aisance. La ville est hantée de fantômes qui veillent sur les leurs. Aucune famille ne serait complète sans ses aïeux.

Nos aïeux. Notre héritage. Le passé annonce l'avenir et l'avenir n'est possible qu'à cause du passé. Sans passé ni avenir, le présent est fragmentaire. Tout temps est éternellement présent et tout temps est donc nôtre. Il n'y a pas de raison d'oublier et toutes les raisons de rêver. Ainsi le présent est enrichi. Ainsi le présent est entier. Sur la lagune, ce matin, coude à coude avec le passé qui rame à mes côtés, je vois l'avenir miroiter sur les flots. Je m'aperçois dans l'eau et, dans les distorsions de mon reflet, je distingue ce que je pourrais devenir.

Si je la retrouve, quel sera mon avenir ?

Je la retrouverai.

Quelque part entre la peur et la volupté il y a la passion.

La passion n'est pas tant une émotion qu'un destin. Quel choix ai-je face au vent sinon de hisser la voile et de lever mes rames ?

Le jour point.

Je passai les semaines qui suivirent dans une torpeur fiévreuse.

Une telle chose est-elle possible ? Elle l'est. C'est l'état qui ressemble le plus à un trouble mental particulier. J'ai vu des êtres comme moi à San Servelo. Cela se manifeste par un penchant à vouloir être toujours occupé, si absurde cette activité soit-elle. Le corps est en mouvement, mais l'esprit reste vide.

J'arpentais les rues, canotais en cercles autour de Venise, me réveillais au milieu de la nuit entortillée dans mes couvertures et les muscles raidis. Je me mis à travailler jour et nuit au Casino, m'habillant en femme l'après-midi et le soir en garçon. Je mangeais quand on posait de la nourriture devant moi et dormais quand mon corps tremblait d'épuisement.

Je maigris.

Je me retrouvais en train de regarder dans le vide, oubliant où j'allais.

J'avais froid.

Je ne vais jamais à confesse ; Dieu ne veut pas que nous nous confessions, il veut que nous le défions, mais pendant un temps je fréquentai nos églises parce qu'elles sont bâties avec le cœur. Des cœurs improbables que je n'avais jamais compris auparavant. Des cœurs si remplis d'amour que ces vieilles pierres retentissent encore de leur extase. Ce sont des églises chaudes, construites au soleil.

Je m'asseyais au fond, écoutant la musique ou marmonnant

les prières. Je n'ai jamais été tentée par Dieu mais j'aime son apparat. Si je ne suis pas tentée, je commence à comprendre pourquoi les autres le sont. Avec ce sentiment intérieur, avec cet amour débordant qui menace, peut-il y avoir un abri sûr ? Où emmagasiner la poudre à canon ? Comment retrouver le sommeil la nuit ? Si j'étais légèrement différente, je pourrais sanctifier ma passion et puis je retrouverais le sommeil. Et puis mon extase serait ce qu'elle est, mais je n'aurais pas peur.

Mon ami obèse, qui a décidé que j'étais une femme, m'a demandée en mariage. Il m'a promis de m'entourer de luxe et de toutes sortes d'objets de prix, pourvu que je continue à m'habiller en garçon dans l'intimité de notre demeure. Il aime cela. Il dit qu'il me procurera des moustaches et des braguettes sur mesure et qu'on s'en donnera à cœur joie, à jouer et à s'enivrer. Je songeai à lui donner un coup de couteau là, en plein milieu du Casino, mais mon pragmatisme vénitien s'est interposé et j'ai pensé que je pourrais m'amuser moi aussi. N'importe quoi pour soulager ma souffrance de ne pas l'avoir retrouvée.

Je me suis toujours demandé d'où venait son argent. A-t-il fait un héritage ? Est-ce que sa mère règle encore ses dettes ?

Non. Il gagne son argent. Il gagne son argent en ravitaillant l'armée française en viande et en chevaux. De la viande et des chevaux dont il affirme que la première répugnerait à un chat et que même les mendiants ne voudraient pas des seconds pour montures.

Comment s'en tire-t-il à si bon compte ?

Il n'y a personne qui peut livrer autant et aussi vite, n'importe où ; dès que les commandes arrivent, les marchandises sont en route.

Il semble que Bonaparte gagne ses batailles rapidement ou

pas du tout. C'est sa manière. Il a besoin d'action, sinon de qualité. Il a besoin que ses hommes soient sur pied pour une marche et une bataille de quelques jours. Il a besoin de chevaux pour une charge unique. C'est suffisant. Quelle importance si les chevaux sont des haridelles et les hommes victimes d'empoisonnement, pourvu qu'ils tiennent le temps nécessaire ?

J'allais épouser un boucher.

Je l'autorisai à m'offrir du champagne. Seulement le meilleur. Je n'avais pas bu de Veuve Clicquot depuis cette soirée étouffante du mois d'août. Son goût sur ma langue et dans ma gorge fit remonter d'autres souvenirs. Des souvenirs d'une unique caresse. Comment quelque chose de si fugitif pouvait être si pénétrant ?

Mais le Christ a dit :

– Suivez-moi.

Et c'était fait.

Plongée dans mes rêves, je sentis à peine sa main sur ma cuisse, ses doigts sur mon ventre. Puis l'image d'une pieuvre et de ses ventouses s'imposa à moi et je le repoussai en hurlant que jamais je ne l'épouserais, pas plus pour tout le Veuve Clicquot de France que pour une Venise remplie de braguettes. Comme il avait le visage toujours rouge, il était difficile de savoir quel effet lui faisaient ces insultes. Il se releva – il s'était mis à genoux – et rajusta son gilet. Il me demanda si je souhaitais garder mon emploi.

– Je garderai mon emploi parce que je sais y faire et que des clients comme vous franchissent la porte tous les jours.

Alors il me frappa. Pas fort, mais je fus choquée. On ne m'avait jamais frappée avant. Je le frappai à mon tour. Fort.

Il se mit à rire et, venant vers moi, m'aplatit contre le mur. C'était comme d'être écrasée sous un monceau de poissons. Je ne tentai pas de me défendre, il faisait deux fois mon poids et je n'ai rien d'une héroïne. Je n'avais rien à perdre non plus, ayant déjà tout perdu lors de temps plus heureux.

Il laissa une tache sur ma chemise et me jeta une pièce en guise d'au revoir.

Qu'est-ce que j'attendais d'un boucher ?

Je retournai dans la salle de jeu.

À Venise, novembre est le début de la saison du catarrhe. Le catarrhe fait partie de notre patrimoine au même titre que la basilique Saint-Marc. Il y a des lustres, quand le Concile des Trois gouvernait selon de mystérieuses voies, tout traître ou infortuné qu'ils avaient fait disparaître était en général officiellement déclaré mort du catarrhe. De cette manière, personne n'était embarrassé. Le responsable de notre détestable congestion, c'est le brouillard qui monte de la lagune et soustrait aux regards une partie de la Piazza à l'autre. Il pleut aussi, maussadement et silencieusement, et les bateliers s'abritent sous des loques trempées et regardent les canaux avec impuissance. Ce temps chasse les étrangers et c'est la seule bonne chose à porter à son actif. Même la grille rutilante de Fenice devient grise.

Un après-midi où le Casino n'avait que faire de moi et où je n'avais que faire de moi-même, j'allai chez Florian boire un verre en contemplant la place. C'est un passe-temps passionnant.

J'étais assise depuis environ une heure quand j'eus la sensation d'être observée. Il n'y avait personne dans mon voisinage immédiat, mais un peu plus loin il y avait bien quelqu'un caché derrière un écran. Je me laissai de nouveau aller à mes pensées. Qu'est-ce que cela pouvait bien faire ? L'on est toujours observé ou en train d'observer. Le serveur s'approcha de moi, un paquet à la main.

Je l'ouvris. C'était une boucle d'oreille. La paire était complète.

Et elle se planta devant moi et je m'aperçus que j'étais habillée comme je l'avais été cette nuit-là puisque j'allais reprendre mon travail. Je portai ma main à ma lèvre.

– Vous vous êtes rasé la moustache, dit-elle.

Je souris. J'étais incapable de parler.

Elle m'invita à dîner avec elle le soir suivant ; je pris son adresse et acceptai.

Au Casino, ce soir-là, j'essayai de prendre une décision. Elle me prenait pour un garçon. Que je n'étais pas. Devais-je aller la voir sous mon apparence normale, rire de sa méprise et me retirer gracieusement ? Mon cœur se serrait à cette pensée. La perdre à nouveau, si vite. Et qu'était mon apparence normale ? Cette culotte et ces bottes étaient-elles moins réelles que mes jarretières ? Qu'y avait-il en moi qui l'intéressait ?

On joue, on gagne. On joue, on perd. On joue.

J'eus soin de voler de quoi acheter une bouteille du meilleur champagne.

Les amoureux ne sont jamais à leur avantage dans les circonstances importantes. Les bouches se dessèchent, les mains sont moites, la conversation languit et sans cesse le cœur menace de bondir hors de la poitrine une bonne fois pour toutes. Les amoureux sont connus pour avoir des crises cardiaques. Les amoureux boivent trop par timidité et n'arrivent pas à donner le change. Ils ne mangent pas assez et défaillent au moment de la consommation si ardemment souhaitée. Ils oublient de caresser le chat préféré et leur maquillage coule. Ce n'est pas tout. Quoi qui vous tienne à cœur, votre robe, votre dîner, vos poèmes, tout ira de travers.

Sa demeure, qui donnait sur un canal tranquille, était agréable, au goût du jour quoique sans vulgarité. Le salon, immense avec de grandes croisées à chaque bout et une cheminée que n'aurait pas déparée un lévrier alangui. Le mobilier était simple : une table ovale et une *chaise longue**. Quelques objets chinois qu'elle aimait glaner au retour des bateaux. Elle possédait également une étrange collection d'insectes morts montés dans des vitrines sur le mur. Je n'avais vu pareille chose auparavant et m'interrogeai sur un tel engouement.

Elle se tint près de moi pendant qu'elle me fit visiter les lieux, montrant du doigt certains livres ou tableaux. Sa main guida mon coude dans les escaliers et, lorsque nous nous assîmes pour manger, elle ne nous plaça pas dans les formes, mais m'installa à ses côtés, avec la bouteille entre nous.

Nous parlâmes d'opéra, de théâtre, des touristes, du temps et de nous-mêmes. Je lui confiai que mon véritable père était batelier ; elle pouffa de rire et me demanda s'il était vrai que nous avions les pieds palmés.

– Naturellement, répondis-je, et elle de rire de plus belle à cette boutade.

Nous avions dîné. La bouteille était vide. Elle me raconta qu'elle s'était mariée tard, qu'elle ne pensait pas du tout se marier, étant volontaire et pourvue d'une fortune personnelle. Son mari faisait le commerce de manuscrits et de livres rares d'Orient. D'anciens planisphères qui montraient les antres des griffons et les repaires des baleines. Des cartes au trésor qui prétendaient donner l'emplacement du Saint-Graal. C'était un homme paisible et cultivé pour lequel elle avait de l'affection.

Il était en voyage.

Nous avions dîné. La bouteille était vide. Il n'y avait plus rien à dire sans risque de lourdeur ou de répétition. J'étais en sa compagnie depuis déjà plus de cinq heures et il était temps de partir. Comme nous nous levions et qu'elle fit mine d'attraper quelque chose, je tendis la main, ce fut tout, et elle se retourna dans mes bras de telle sorte que mes mains se posèrent sur ses omoplates et les siennes dans mon dos. Nous restâmes ainsi quelques instants, jusqu'à ce que je trouvasse le courage de l'embrasser très légèrement dans le cou. Elle ne se refusa pas. Je m'enhardis et lui baisai la bouche, mordant un peu sa lèvre inférieure.

Elle m'embrassa.

– Je ne peux pas te faire l'amour, dit-elle.

Soulagement et désespoir.

– Mais je peux t'embrasser.

Et ainsi, dès le début, nous séparâmes les plaisirs. Elle s'étendit sur le tapis et moi, je m'étendis à angle droit, afin que seules nos lèvres puissent se toucher. Embrasser de cette manière est le plus étrange des divertissements. La chair concupiscente qui réclame son assouvissement est forcée de se contenter d'une seule sensation et, de même que les aveugles entendent mieux et que les sourds peuvent sentir l'herbe pousser, de même la bouche devient le foyer de l'amour et toutes choses passent par elle et sont ainsi redéfinies. C'est une torture douce et subtile.

Quand je sortis de chez elle un peu plus tard, je ne partis pas immédiatement, mais la regardai évoluer de pièce en pièce pour éteindre les lumières. Elle monta à l'étage, refermant les ténèbres derrière elle jusqu'à ce qu'il ne restât plus qu'une seule lampe et c'était la sienne. Elle m'avait dit qu'elle lisait souvent tard dans la nuit quand son mari était absent. Ce soir-là elle ne lut pas. Elle fit une petite halte à sa fenêtre et puis la maison devint noire.

À quoi pensait-elle ?

Que ressentait-elle ?

Je déambulai lentement à travers les places silencieuses et traversai le Rialto, où la brume planait au-dessus de l'eau. Les bateaux étaient recouverts et vides à l'exception des chats qui se blottissaient sous les bancs. Il n'y avait personne, pas même les mendiants qui se replient eux et leurs guenilles sous les porches.

Comment se fait-il qu'un jour la vie est belle et qu'on est heureux, un peu sceptique peut-être mais somme toute content, et que soudain, sans prévenir, la terre ferme se dérobe sous ses pieds et qu'on se retrouve en un autre lieu dont la géographie est inconnue et les coutumes insolites ?

Les voyageurs ont au moins le choix. Ceux qui mettent à la voile savent que les choses seront différentes de chez eux. Les explorateurs sont préparés. Mais pour nous, qui voyageons dans les vaisseaux sanguins et parvenons par hasard aux cités de l'intérieur, il n'existe pas de préparation. Nous qui avions la parole facile découvrons que la vie est une langue étrangère. Quelque part entre les marais et les montagnes. Quelque part entre la peur et la volupté. Quelque part entre Dieu et le Diable, il y a la passion et le chemin qui y mène est abrupt, et le retour bien pis.

Je suis moi-même surprise de m'exprimer en ces termes. Je suis jeune, j'ai la vie devant moi, il y en aura d'autres. Pour la première fois depuis que j'ai fait sa connaissance, je sens en moi une pointe de défi. La première révolte de mon être. Je ne la reverrai pas. Je peux rentrer à la maison, enlever cet accoutrement et passer mon chemin. Je peux m'expatrier si je veux. Je suis sûre que le boucher ne demande qu'à m'emmener à Paris en échange d'une ou deux faveurs.

La passion, je crache dessus.

Je crachai dans le canal.

Alors la lune apparut entre les nuages – c'était la pleine lune – et je pensai à ma mère en train de ramer avec ferveur vers l'île funeste.

La surface du canal avait l'éclat du jais poli. Je retirai lentement mes bottes, tirant sur mes lacets pour les défaire. Pliées entre chaque orteil, il y avait mes propres lunes. Pâles et opaques. Inutilisées. J'avais souvent joué avec elles mais sans jamais penser qu'elles avaient une quelconque réalité. Ma mère ne m'avait même pas dit si les rumeurs étaient fondées et je n'avais pas de cousin batelier. Mes frères ont quitté la maison.

Étais-je capable de marcher sur l'eau ?

En étais-je capable ?

J'hésitai en haut des marches glissantes qui plongeaient dans l'obscurité. Après tout, on était en novembre. Je risquais la mort si je tombais à l'eau. Je tentai de poser mon pied à la surface et il s'enfonça dans le néant glacé.

Une femme pouvait-elle en aimer une autre plus d'une nuit ?

Je me suis élancée, et le lendemain matin on raconta qu'un mendiant courait autour du Rialto en clamant qu'un jeune homme avait traversé à pied le canal, comme si celui-ci était solide.

Je vous raconte des histoires. Faites-moi confiance.

Quand nous nous revîmes, j'avais emprunté un uniforme d'officier. Ou plus précisément, je l'avais volé.

Voici ce qui s'est passé.

Au Casino, bien après minuit, un soldat m'avait abordée pour me proposer un pari inhabituel. Si je réussissais à le battre au billard, il me ferait cadeau de sa bourse. Il la brandit sous mes yeux. Elle était ronde et joliment rembourrée, et il doit y avoir du sang de mon père en moi puisque je n'ai jamais été capable de résister à une bourse.

Et si je perdais ? Je devais lui faire cadeau de ma propre bourse. On ne pouvait se tromper sur ce qu'il entendait.

Nous entamâmes une partie, encouragés par une douzaine de joueurs blasés et, à ma grande surprise, le soldat jouait bien. Après quelques heures de Casino, plus personne ne joue bien à rien.

Je perdis.

Nous allâmes dans sa chambre ; c'était un homme qui aimait voir ses maîtresses face contre terre, les bras écartelés comme le Christ crucifié. Il était expert et accommodant, et ne tarda pas à s'endormir. Il était également de ma taille. Je lui laissai sa chemise et ses bottes, et emportai le reste.

Elle m'accueillit comme un vieil ami et me questionna immédiatement sur l'uniforme.

– Vous n'êtes pas soldat.

– C'est un déguisement.

Je commençai à me trouver des points communs avec Sarpi, ce prêtre et diplomate vénitien qui affirmait qu'il ne mentait jamais mais ne disait pas non plus la vérité à tout le monde[1]. Maintes fois, ce soir-là, tandis que nous nous restaurions et jouions aux dés, je faillis m'expliquer. Mais ma langue s'y refusait et mon cœur se soulevait dans un instinct de défense.

– Vos pieds, dit-elle.

– Quoi ?

– Laissez-moi caresser vos pieds.

Douce Madone, pas mes pieds.

– Je n'enlève jamais mes bottes en dehors de chez moi. C'est une manie de timide.

– Alors enlevez votre chemise à la place.

Pas ma chemise, si je levais ma chemise, elle découvrirait mes seins.

– Par ce temps de chien, ce ne serait pas sage. Tout le monde a le catarrhe. Songez au brouillard.

Je vis ses yeux s'aventurer plus bas. S'attendait-elle à ce que mon désir crève les yeux ?

Que pouvais-je lui accorder ? Mes genoux ?

Au lieu de quoi je me penchai en avant et entrepris de l'embrasser dans le cou. Elle enfouit ma tête dans sa chevelure

1. Pietro Paolo Sarpi (1552-1623) : moine et savant vénitien qui s'opposa avec succès au pape et s'enferma dans un couvent afin d'échapper à ses ennemis.

et je devins sa créature. Son parfum, mon atmosphère, et plus tard, quand je fus seule, je maudis mes narines de respirer l'air de tous les jours et de vider mon organisme de sa substance à elle.

Comme je m'en allais, elle dit :

– Mon mari revient demain.

Oh.

Comme je m'en allais, elle reprit :

– Je ne sais pas quand je vous reverrai.

Fait-elle cela souvent ? Quand son mari est en voyage, déambule-t-elle par les rues en quête de quelqu'un comme moi ? Chacun a ses vices et ses faiblesses à Venise. Peut-être pas seulement à Venise. Est-ce qu'elle les invite à souper, est-ce qu'elle les retient par ses regards en leur expliquant, un peu tristement, qu'elle ne peut pas faire l'amour ? Peut-être que c'est sa passion. Une passion née des obstacles à la passion. Et moi ? Tout jeu contient la menace d'une carte volante[1]. De l'imprévisible, de l'incontrôlable. Même avec une main de fer et une boule de cristal, on ne peut pas gouverner le monde à sa guise. Il y a des orages en mer et il y a d'autres orages à l'intérieur des terres. Seules les fenêtres d'un couvent ouvrent sereinement sur les deux.

Je retournai jusqu'à sa maison et frappai à la porte. Elle entrebaîlla le battant. Elle eut l'air surpris.

– Je suis une femme, lui avouai-je, relevant ma chemise et bravant le catarrhe.

1. En anglais, « *the wild card* », carte à jouer à laquelle le joueur est libre d'attribuer telle ou telle valeur, soit le *joker*, mot que nous avons écarté, car il fut introduit en français seulement en 1917. À la canasta, les cartes *volantes*, qui comprennent les jokers et les deux, font partie des cartes *spéciales*, par opposition aux cartes naturelles.

Elle sourit.

– Je sais.

Je ne rentrai pas chez moi. Je restai.

Les églises se préparaient pour Noël. Chaque Madone était redorée et chaque Christ peint à neuf. Les prêtres exhibaient leurs ors et leurs pourpres glorieux, et l'encens était particulièrement parfumé. Je pris l'habitude d'aller à l'office deux fois par jour afin de me prélasser dans la confiance de Notre Seigneur. Je n'ai jamais eu scrupule à me prélasser. En été, je le fais contre un mur ou je vais me percher sur nos puits métalliques, comme les lézards du Levant. J'adore la façon dont le bois retient la chaleur, et si je peux, je sors ma barque et je reste couchée un jour entier en plein soleil. Alors mon corps se détend, mon esprit rêvasse ; je me demande si ce n'est pas ce que ressentent les mystiques quand ils parlent de leurs extases. J'ai vu des mystiques qui venaient des pays orientaux. Une fois, nous avons eu une démonstration pour compenser la loi interdisant les combats entre chiens et taureau. Leurs corps étaient tout mous, mais j'ai entendu dire que cela avait un rapport avec leur régime alimentaire.

Se prélasser n'a rien de mystique, mais si cela donne les mêmes résultats, est-ce que Dieu s'en formalisera ? Je ne pense pas. Selon l'Ancien Testament, la fin justifie toujours les moyens. Étant un peuple pragmatique, nous comprenons cela à Venise.

Le soleil s'est enfui à présent et il faut que je trouve un autre moyen de me prélasser. Se prélasser à l'église, c'est profiter de son hospitalité sans rien payer. Jouir du calme et du confort, et ignorer le reste. À Noël, mais pas à Pâques. Je ne m'embarrasse pas d'église à Pâques. C'est trop lugubre, et d'ailleurs il fait déjà soleil.

Si j'allais me confesser, que confesserais-je ? Que je me travestis ? Ainsi fit Notre Seigneur, ainsi font les prêtres.

Que je vole ? Ainsi fit Notre Seigneur, ainsi font les prêtres.

Que je suis amoureuse ?

L'objet de mon amour est parti pour Noël. C'est ce qu'ils font à cette période de l'année. Lui et elle. Je croyais en être affectée, mais dès les premiers jours, où j'avais un poids sur l'estomac et dans la poitrine, j'étais contente. Presque soulagée. J'ai revu mes vieux amis et me suis promenée seule, d'un pied presque aussi agile qu'avant. Mon soulagement vient de l'interruption de nos rencontres clandestines. Plus d'heures volées. En particulier, il y eut une semaine où elle prenait deux petits déjeuners par jour. Un chez elle et l'autre avec moi. Un dans son salon et l'autre sur la place. Après quoi ses déjeuners étaient un désastre.

Elle a une vive inclination pour le théâtre et, comme son mari n'aime pas le spectacle, elle y va sans lui. Pendant un temps, elle n'assista qu'au premier acte de toutes les pièces. À l'entracte, elle venait me retrouver.

Venise fourmille de gamins des rues qui font passer des billets d'une main brûlante à une autre. Aux heures où nous ne pouvions pas nous voir, nous nous envoyions des messages d'amour et de fièvre. Aux heures où nous pouvions nous voir, notre passion était aussi fougueuse qu'éphémère.

Elle s'habille pour moi. Je ne l'ai jamais vue porter deux fois la même toilette.

Maintenant, je fais une cure d'égoïsme. Je ne pense qu'à moi, je me lève quand je veux, et non plus au point du jour, juste pour la voir ouvrir ses volets. Je polissonne avec les serveurs et les joueurs, et je me souviens que j'adore cela. Je chante pour moi et je me prélasse dans les églises. Cette liberté est-elle délicieuse à cause de sa rareté ? Tout répit en amour n'est-il le bienvenu que parce qu'il est temporaire ? Si elle était partie pour toujours, mes journées ne seraient pas si lumineuses. Est-ce parce qu'elle va revenir que je prends plaisir à ma solitude ?

Cœur désemparé qui se nourrit de paradoxe, qui se languit de sa bien-aimée et éprouve un secret soulagement quand la bien-aimée n'est pas là. Qui égrène les heures la nuit dans l'attente d'un signe et apparaît au petit déjeuner avec un maintien si composé. Qui aspire à la sécurité, à la fidélité, à la tendresse et joue ce qu'il a de plus précieux à la roulette.

Loin d'être un vice, le jeu est une expression de notre humanité.

Nous jouons tous. Certains le font à la table de jeu, les autres non.

On joue, on gagne. On joue, on perd. On joue.

Le Divin Enfant est né. Sa mère est glorifiée. Son père oublié. Les anges chantent dans les stalles du chœur, Dieu juche sur le toit de chaque église et répand sa bénédiction sur ceux d'ici-bas. Quelle merveille que de vous joindre à Dieu et de mesurer votre intelligence à Son aune, tout en sachant que vous gagnez et perdez simultanément. En quelle autre circonstance pourriez-vous sans crainte vous abandonner au subtil masochisme de la victime ? Vous exposer à Ses lances et fermer les yeux. En quelle autre occasion pourriez-vous demeurer si maître de vous ? Pas en amour, assurément.

Son besoin de vous est plus fort que votre besoin de Lui

parce qu'Il sait ce qu'il Lui en coûte de ne pas vous posséder, alors que vous, qui ne savez rien, pouvez lancer votre bonnet en l'air et vivre un nouveau jour. Vous pataugez dans l'eau sans qu'Il traverse jamais vos pensées, mais Lui est en train de relever la force exacte de la marée montante autour de vos chevilles.

Se prélasser. Malgré ce que prétendent les moines, il est possible de rencontrer Dieu sans se lever à l'aurore. On peut rencontrer Dieu, alangui sur un banc d'église. Les épreuves sont une invention de l'homme parce que ce dernier ne peut exister sans passion. La religion se situe quelque part entre la peur et la volupté. Et Dieu ? En vérité ? De son propre chef, sans que nos voix s'élèvent à sa place ? Je Le crois obsédé, mais pas passionné.

Dans nos rêves, parfois nous émergeons péniblement de l'océan du désir pour grimper par l'échelle de Jacob jusqu'en ce lieu harmonieux. Alors des voix humaines nous réveillent et nous nous noyons.

Le soir du Nouvel An, une procession de barques aux flambeaux s'étira sur le Grand Canal. Riches et pauvres partageaient les mêmes eaux et caressaient le même espoir : que la nouvelle année soit, à sa façon, meilleure que la précédente. Ma mère et mon père en bons boulangers distribuaient des miches aux pauvres et aux malades. Mon père était ivre et fut sommé d'arrêter de chanter les rengaines qu'il avait apprises dans un bordel français.

Plus loin, cachés au fond de la cité intérieure, les émigrés avaient leurs propres festivités. Les canaux sombres étaient aussi sombres que d'habitude, mais un œil averti distinguait des guenilles de satin sur des corps jaunis, le miroitement d'une coupe au fond d'une niche souterraine. Les enfants aux yeux bridés avaient volé une chèvre et travaillaient solennellement à l'égorger quand je passai en ramant. Ils suspendirent un instant leurs couteaux rougis pour me dévisager.

Mon amie philosophe était à son balcon : deux cageots accrochés à des anneaux de fer de chaque côté de son repaire. Elle portait quelque chose sur la tête, un cercle sombre et lourd. Je glissai à sa hauteur et elle me demanda quelle heure il pouvait bien être.

– C'est presque le Nouvel An.

– Je le sais. À l'odeur.

Elle plongea sa coupe dans le canal et but à grands traits. Ce fut seulement après m'être éloignée que je compris que sa couronne était composée de rats attachés en cercle par la queue.

Je ne vis pas de Juifs. Leurs affaires les regardent ce soir.

Il faisait un froid de gueux. Pas de vent, mais un air glacé qui saisit les poumons et gerce les lèvres. Mes doigts étaient gourds sur les rames et je songeai à amarrer ma barque pour me dépêcher de rejoindre la foule qui se bousculait à Saint-Marc. Mais ce n'était pas une nuit propice à la paresse. Ce soir, les esprits des morts sont de sortie, et ils ont la langue bien pendue. Ceux qui écouteront seront instruits. Elle est chez elle ce soir.

Je longeai sa maison, qui était discrètement éclairée, dans l'espoir d'apercevoir son ombre, son bras, un signe. Elle demeurait invisible, mais je l'imaginai assise en train de lire, un verre de vin à portée de main. Son époux devait être dans son bureau, penché sur quelque nouveau trésor fabuleux ; l'emplacement de la Croix ou les galeries secrètes qui conduisent au centre de la terre, là où vivent les dragons.

Je m'arrêtais devant sa grille, et, escaladant le portail, jetai un œil par la fenêtre. Elle était seule. Non pas en train de lire, mais de contempler les lignes de ses mains. Nous avions comparé nos paumes un jour ; les miennes sont très plissées, alors que les siennes, bien qu'elles soient en ce monde depuis plus longtemps, ont l'innocence de l'enfance. Qu'essayait-elle de lire ? Son avenir ? Une nouvelle année ? Ou tentait-elle de trouver un sens à son passé ? De comprendre comment le passé l'avait conduite au présent. Cherchait-elle la ligne de son désir pour moi ?

Je m'apprêtai à taper au carreau quand son mari pénétra dans la pièce, la faisant sursauter. Il lui baisa le front et elle sourit. Je les observai ensemble et vis en un instant plus que je n'aurais su méditer en une année entière. Ils ne vivaient pas dans la fournaise que nous partagions elle et moi, mais il émanait d'eux un calme, une connivence qui me transperça le cœur.

Je frissonnai de froid, soudain consciente que je me trouvais dans le vide, au niveau du deuxième étage. Même les amants ont peur à l'occasion.

Minuit moins le quart sonna à la grande horloge de la place. Je regagnai ma barque à la hâte et ramai vers la lagune sans sentir mes mains ni mes pieds. Au milieu de cette paix, de ce silence, je pesai mon propre avenir, et quel avenir pouvait-il y avoir à se voir dans les cafés et à s'habiller toujours à la hâte. Le cœur s'abuse si facilement, jusqu'à croire que le soleil peut se lever deux fois ou que les roses fleurissent parce que tel est notre désir.

Dans cette ville enchantée, tout semble possible. Le temps s'arrête. Les cœurs battent. Les lois du monde réel sont suspendues. Dieu se perche dans les chevrons et se gausse du Diable, lequel aiguillonne Notre Seigneur avec sa queue. Il en a toujours été ainsi. On raconte que les bateliers ont les pieds palmés et un mendiant affirme avoir vu un jeune homme marcher sur l'eau.

Si vous deviez m'abandonner, mon cœur se transformera en eau et se retirera avec la marée.

Les Maures de la grande horloge renversent leurs marteaux et frappent à tour de rôle. Bientôt la place sera envahie de gens, leurs respirations tièdes formant de petits nuages qui monteront au-dessus de leurs têtes. Ma propre respiration jaillit droit devant moi comme le feu d'un dragon. Nos ancêtres pleurent autour du bassin, tandis que retentissent les orgues de Saint-Marc. Entre le gel et la fonte. Entre l'amour et le désespoir. Entre la peur et la volupté, il y a la passion. Mes avirons reposent à plat sur l'eau. C'est le premier de l'an 1805.

Trois

L'hiver zéro

Il n'y a pas de limites à la victoire. Toute victoire laisse du ressentiment, un peuple vaincu et humilié. Un nouvel endroit à garder, à défendre et à craindre. Ce que j'ai appris sur la guerre au fil des ans, avant que je ne vinsse en ce lieu solitaire, n'importe quel enfant aurait pu me le dire.

– Est-ce que tu vas tuer des gens, Henri ?

– Pas des gens, Louise. Seulement l'ennemi.

– Qu'est-ce que c'est, l'ennemi ?

– Quelqu'un qui n'est pas de ton camp.

Personne n'est dans votre camp lorsque c'est vous le conquérant. Vos ennemis sont plus encombrants que vos amis. Tant d'existences simples et ordinaires pouvaient-elles soudain se transformer en hommes à tuer et en femmes à violer ? Autrichiens, Prussiens, Italiens, Espagnols, Égyptiens, Anglais, Polonais, Russes. Voilà les peuples qui étaient nos ennemis ou nos protégés. Il y en avait d'autres, mais la liste est trop longue.

Nous n'avons jamais envahi l'Angleterre. Nous nous sommes retirés de Boulogne, laissant nos petites péniches pourrir sur place, pour aller combattre la Troisième Coalition. Nous nous sommes battus à Ulm et à Austerlitz. À Eylau et à Friedland. Nous nous sommes battus privés de rations, nos bottes partaient en lambeaux, nous dormions deux ou trois heures par nuit et mourions chaque jour par milliers. Deux ans plus tard, à bord d'un bac au milieu d'une rivière, Napoléon embrassait le Tzar et jurait que nous ne nous battrions plus jamais. *C'étaient les Anglais qui nous créaient des difficultés et, avec la Russie à nos côtés, les Anglais n'auraient qu'à nous laisser en paix.* Plus de coalitions, plus de marches forcées. Du pain chaud et les terres de France.

Nous l'avons cru. Comme toujours.

Je perdis un œil à Austerlitz. Domino fut blessé et Patrick, qui est encore parmi nous, ne voit désormais jamais plus loin que sa bouteille. Cela aurait dû me suffire. J'aurais dû disparaître comme font certains soldats. Prendre un autre nom, ouvrir une échoppe dans un petit village, peut-être me marier.

Je ne m'attendais pas à venir ici. La vue est belle et les mouettes viennent chercher du pain à ma fenêtre. Il y en a ici qui font cuire des mouettes, mais seulement en hiver. En été, elles sont pleines de vers.

L'hiver.

L'inimaginable hiver zéro.

« Nous marchons sur Moscou », dit-il quand le Tzar l'eut trahi. Ce n'était pas son intention, il voulait une campagne expéditive. Porter un coup à la Russie pour oser se dresser à nouveau contre lui. Il croyait pouvoir éternellement remporter les batailles comme il l'avait toujours fait. À la manière d'un chien de cirque, il croyait que ses tours émerveilleraient n'importe quel public, mais le public se lassait de lui. Les Russes ne se donnèrent même pas la peine de combattre sérieusement la Grande Armée, ils continuaient de se replier, brûlant les villages derrière eux, ne laissant rien à manger, nul endroit où dormir. Ils entrèrent dans l'hiver et nous les suivîmes. Dans l'hiver russe avec nos capotes d'été. Dans la neige avec nos bottes rafistolées. Quand nos montures mouraient de froid, nous leur ouvrions le ventre et dormions les pieds dans leurs viscères. Le cheval d'un soldat gela ; au matin, quand il voulut sortir ses pieds, ils étaient pris, ensevelis dans les entrailles friables. Nous ne réussîmes pas à le dégager, il nous fallut l'abandonner. Il ne cessait de hurler.

Bonaparte, qui voyageait en traîneau, envoyait des ordres comminatoires dans nos lignes, avec l'espoir que, par nos manœuvres, nous prendrions les Russes en étau. Comment aurions-nous pu ? Nous tenions à peine debout.

La politique de la terre brûlée n'était pas seulement lourde de conséquences pour les nôtres, elle l'était aussi pour les indigènes. Pour les paysans dont l'existence suivait le cours du soleil et de la lune. Comme ma mère et mon père, ils se soumettaient aux saisons et ne vivaient que pour la moisson. Le jour, ils travaillaient dur et se consolaient avec des histoires de la Bible et des contes de la forêt. Leurs forêts étaient remplies d'esprits, dont certains étaient bienveillants, d'autres non, mais chaque famille avait une belle histoire à raconter : comment leur enfant avait été sauvé ou leur unique vache ramenée à la vie grâce à l'intervention d'un esprit.

Ils appelaient le Tzar « le Petit Père », et ils l'adoraient comme ils adoraient Dieu. Dans leur simplicité, je vis un miroir de mes aspirations et compris pour la première fois que c'était mon propre besoin d'un petit père qui m'avait conduit si loin. Gens du terroir, ils sont contents de mettre le verrou le soir et de manger une soupe épaisse avec du pain noir. Ils chantent des chansons pour se protéger de la nuit et, comme nous, en hiver ils font entrer leurs animaux dans la cuisine. En hiver, le froid est bien trop pénible et la terre plus dure qu'une lame de soldat. Ils peuvent seulement vivre sur leurs provisions et rêver du printemps à la lumière de la lampe.

Quand l'armée incendiait leurs villages, les habitants aidaient à mettre le feu à leurs propres maisons, à des années de labeur et de bon sens. Pour leur Petit Père. Ils se retrouvaient sans abri par moins de zéro et allaient au-devant de la mort, seuls, par deux ou en famille. Ils gagnaient les bois et s'installaient au bord des rivières gelées, pas pour longtemps, le sang se fige vite, mais assez longtemps pour que certains fussent encore en train de chanter à notre passage. Leurs voix étaient emportées par les rafales de vent et arrivaient jusqu'à nous, par-delà le chaume de leurs maisons.

Nous les avions tous tués sans tirer un seul coup de feu. Je priais pour que la neige tombe et les ensevelisse à jamais. Quand la neige tombe, on peut presque croire que le monde est de nouveau propre.

Est-ce que chaque flocon est différent ? Nul ne le sait.

Il faut que je m'arrête d'écrire à présent. Je dois faire mes exercices. Ils veulent que nous fassions nos exercices chaque jour à la même heure, sinon ils s'inquiètent pour notre santé. Ils aiment nous garder en condition ici pour que les visiteurs repartent satisfaits. J'espère que j'aurai de la visite aujourd'hui.

Voir mes camarades mourir n'était pas le pire de cette guerre, c'était de les voir vivre. On m'avait raconté des choses sur le corps et l'esprit humains, les conditions auxquelles les hommes peuvent s'adapter, leur capacité à la survie. J'avais entendu des histoires de gens brûlés par le soleil, dont la peau s'était reformée, noire et épaisse comme la croûte d'une bouillie trop cuite. D'autres qui s'étaient entraînés à ne plus dormir pour ne pas se faire dévorer par des animaux sauvages. Le corps se cramponne à tout prix à la vie. Jusqu'à se manger lui-même. Lorsqu'il n'y a plus rien de comestible, il devient cannibale et se nourrit de sa graisse, puis de ses muscles et enfin de ses os. J'ai vu des soldats, égarés par la faim et le froid, se couper un bras pour le faire cuire. Combien de temps peut-on durer à ce régime ? Les deux bras. Les deux jambes. Les oreilles. Des tranches de tronc. Un homme peut se découper entièrement et laisser le cœur battre en son palais dévasté.

Non. Arracher le cœur en premier. Alors on ne sent plus autant le froid. Ni la souffrance. Le cœur une fois retiré, il n'y a aucune raison de se contenir. On regardera la mort en face sans trembler. C'est le cœur qui nous trahit, provoque nos larmes, nous pousse à enterrer nos amis alors que nous devrions marcher droit devant nous. C'est le cœur qui nous pèse la nuit et nous amène à exécrer ce que nous sommes. C'est le cœur qui résonne de vieilles chansons, ranime les souvenirs des jours d'été et nous fait lâcher pied devant un autre kilomètre, un autre village en cendres.

Afin de survivre à l'hiver zéro et à cette guerre, nous avons fait un bûcher de nos cœurs et y avons renoncé pour toujours. Il n'y a pas de mont-de-piété pour le cœur. On ne peut pas l'y déposer et l'y laisser quelque temps dans un linge propre avant de le racheter en des temps meilleurs.

Confronté à la mort, on ne comprend rien à la passion de la vie, on ne peut que renoncer à sa passion. À partir de là seulement, la survie est possible.

Et si on refuse ?

Si vous souffrez pour chaque homme que vous assassinez, chaque vie que vous brisez en deux, chaque récolte de longue haleine que vous détruisez, chaque enfant dont vous volez l'avenir, la folie vous passera son nœud coulant autour du cou et vous emmènera dans les bois sombres où les rivières sont empoisonnées et les oiseaux silencieux.

Quand je dis que je vivais avec des hommes sans cœur, c'est au sens propre.

À mesure que les semaines s'écoulaient, nous parlions de rentrer à la maison, et la maison cessa d'être un endroit où les chamailleries le disputent à l'amour. Elle cessa d'être un endroit où le feu s'éteint et où il y a toujours une corvée désagréable à faire. La maison devint le siège des joies et du bon sens. Nous nous persuadâmes que nous faisions cette guerre afin de pouvoir rentrer chez nous. Pour protéger nos foyers, les garder tels que nous commencions à nous les imaginer. Maintenant que nous n'avions plus de cœur, il ne restait aucun organe susceptible d'endiguer l'irrésistible marée de sentiments qui collaient à nos baïonnettes et alimentaient nos feux mouillés. Il n'y avait rien que nous doutions de surmonter : Dieu était avec nous, les Russes étaient des démons. Nos femmes dépendaient de cette guerre. La France dépendait de cette guerre. Il n'y avait pas d'alternative à cette guerre.

Et le leurre le plus grand ? Que nous pourrions rentrer chez nous et reprendre les choses là où nous les avions laissées. Que nos cœurs nous attendraient derrière la porte avec le chien.

Tous les hommes ne sont pas aussi fortunés qu'Ulysse.

Tandis que les températures baissaient et que nous nous enfermions dans le mutisme, un espoir nous animait : atteindre Moscou. Une grande capitale où il y aurait des vivres, du feu et des amis. Bonaparte croyait en la paix une fois que nous aurions frappé un coup décisif. Il rédigeait déjà des accords de capitulation, remplissant les pages de clauses déshonorantes et laissant juste assez de place à la fin pour que le Tzar pût signer. Il semblait penser que nous avions le dessus, alors que tout ce que nous faisions, c'était de courir derrière. Mais lui avait des fourrures pour garder le sang chaud.

Moscou est une ville de dômes, bâtie à la seule fin d'être belle, une ville de places et de lieux de culte. Je l'ai aperçue, rapidement. Ses dômes d'or illuminés de jaune et d'orange, et sa population évacuée.

Ils y mirent le feu. Même à l'arrivée de Bonaparte, quelques jours avant le reste de son armée, la ville flambait et elle continua de flamber. C'était une ville difficile à incendier.

Nous bivouaquâmes loin des flammes et, ce soir-là, je lui servis un poulet étique décoré du persil que le cuisinier cultive dans le casque d'un mort. Je crois bien que ce fut ce soir-là que je sus ne pas pouvoir rester plus longtemps. Je crois que ce fut ce soir-là que je me mis à le haïr.

J'ignorais ce qu'était la haine, la haine qui suit l'amour. C'est un sentiment sans fond, désespéré, et qui n'attend qu'un démenti. Et chaque fois qu'elle se justifie, elle devient un peu plus monstrueuse. Si l'amour était passion, la haine sera obsession. Un besoin de voir l'être jadis aimé impuissant, vaincu et pitoyable. Si le dégoût est proche, la dignité est loin. La haine ne s'exerce pas seulement contre l'aimé, elle s'excerce aussi contre vous ; comment avez-vous pu jamais l'aimer ?

Quand Patrick arriva quelques jours plus tard, je le cherchai dans le froid mordant et le trouvai enveloppé dans des sacs, un flacon d'un liquide incolore à côté de lui. Il était toujours sentinelle et, cette fois, guettait les attaques-surprises de l'ennemi. Mais il n'était jamais sobre et toutes ses visions n'étaient guère prises au sérieux. Il agita son flacon sous mon nez et me dit qu'il l'avait récupéré en échange d'une vie épargnée. Un paysan l'avait supplié de l'autoriser à mourir honorablement, lui et sa famille, unis dans le froid, et avait offert la bouteille à Patrick. Quelle que fût sa nature, son contenu l'avait mis de sombre humeur. Je le reniflai. Cela sentait le bouchon et le foin. Je me mis à pleurer et mes larmes tombèrent comme une pluie de diamants.

Patrick en attrapa une et me dit de ne pas gaspiller mon sel. D'un air méditatif, il l'avala.

– Cela relève bien l'esprit-de-vin.

Il y a bien l'histoire de cette princesse exilée dont les larmes se transformaient en pierres précieuses pendant qu'elle marchait. Une pie la suivait qui ramassa toutes les pierres et les déposa sur le rebord de la fenêtre d'un prince mélancolique. Le prince battit la campagne jusqu'à ce qu'il retrouve la princesse et ils vécurent heureux. La pie devint oiseau royal et on lui octroya une forêt de chênes où loger. La princesse fit monter ses larmes en un grand collier, non pour le porter, mais pour le regarder chaque fois qu'elle se sentirait malheureuse. Et quand elle le regardait, elle savait qu'elle n'était pas malheureuse.

– Patrick, je vais déserter. Viendras-tu avec moi ?

Il s'esclaffa.

– Je ne suis peut-être qu'à demi vivant, mais pour autant

que je sache je mourrais pour de bon si je partais avec toi dans ce désert.

Je ne tentai pas de le convaincre. Nous restâmes assis à nous partager ses sacs et son eau-de-vie, séparés par nos rêves.

Est-ce que Domino viendrait ?

Il ne parlait plus beaucoup depuis sa blessure, qui lui avait arraché tout un côté de la figure. Il portait un linge entortillé autour de sa tête afin de protéger ses cicatrices et d'absorber les saignements. S'il restait exposé trop longtemps au froid, ses cicatrices se rouvraient et emplissaient sa bouche de sang et de pus. Le médecin le lui avait expliqué : ses plaies s'étaient infectées après avoir été recousues. Il avait haussé les épaules. On était en pleine bataille, il avait fait ce qu'il pouvait, mais que pouvait-il faire avec des bras et des jambes épars, et rien que de l'alcool pour calmer la douleur et désinfecter les blessures ? Les blessés sont trop nombreux, il vaudrait mieux qu'ils meurent. Domino était recroquevillé dans le traîneau de Bonaparte, sous la tente grossière où on le rangeait, et il dormait. Il avait de la chance de garder l'équipage de Bonaparte, tout comme j'avais de la chance de travailler dans les cuisines des officiers. Nous avions tous deux plus chaud que n'importe qui et étions mieux nourris. Un nid douillet, pour ainsi dire.

Nous échappions au calvaire des engelures et mangions tous les jours. Mais la toile de tente et les pommes de terre ne peuvent rien contre l'hiver zéro ; au contraire, elles nous refusaient l'heureux oubli qui entraîne celui qui meurt de froid. Quand des soldats finissent par s'effondrer en sachant qu'ils ne se relèveront pas, la plupart d'entre eux sourient. Il y a une consolation à s'endormir dans la neige.

Il avait l'air mal en point.

– Je vais déserter, Domino. Est-ce que tu viendras avec moi ?

Il ne pouvait pas parler du tout ce jour-là, il avait trop mal, mais il écrivit dans la neige encore molle qui s'était infiltrée sous la tente.

FOLIE.

– Je ne suis pas fou, Domino, tu te moques de moi depuis le jour où je me suis engagé. Cela fait huit ans que tu te moques de moi. Prends-moi au sérieux.

Il écrivit : POURQUOI ?

– Parce que je ne peux pas rester ici. Ces guerres ne cesseront jamais. Même si nous rentrons chez nous, il y aura une autre guerre. Je croyais qu'il mettrait un terme aux guerres, c'est ce qu'il disait. Une de plus, disait-il, une de plus et puis la paix sera rétablie, mais il y en a toujours une de plus. Moi, je veux m'arrêter maintenant.

Il écrivit : AVENIR. Et puis il barra le mot.

Qu'entendait-il par là ? Son avenir ? Le mien ? Je me remémorai ces jours iodés où le soleil avait jauni l'herbe et où les hommes avaient épousé des sirènes. Je commençai mon carnet à l'époque, celui que j'ai toujours, et Domino s'en était pris à moi et avait qualifié le futur de rêve. *Seul le présent existe, Henri.*

Il ne parlait jamais de ce qu'il projetait de faire, de sa future destination, il ne prenait jamais part aux conversations oiseuses qui tournaient autour de l'idée d'un sort meilleur en d'autres temps. Il ne croyait pas en l'avenir, rien qu'au présent, et comme notre avenir, nos années s'étaient muées si implacablement en présents identiques, je le comprenais mieux. Huit ans avaient passé, et j'étais encore à la guerre en train de rôtir des poulets, dans l'attente de rentrer chez moi pour de bon. Huit ans à parler du futur et à le voir se transformer en présent.

Des années à penser : « L'an prochain, je ferai autre chose, » et l'année d'après on faisait exactement la même chose.

L'avenir. Barré.

Voilà l'effet de la guerre.

Je n'ai plus envie de l'adorer. Je veux être libre de mes erreurs. Je veux mourir à mon heure.

Domino m'observait. La neige avait déjà recouvert ses inscriptions.

Il écrivit : PARS.

Il ébaucha un sourire. Sa bouche était dans l'impossibilité de sourire, mais ses yeux brillaient, et bondissant en l'air comme autre fois quand il cueillait des pommes aux plus hautes branches, il détacha une chandelle de glace de la toile noircie et me la tendit.

Elle était belle. Façonnée par le froid et scintillante en son centre. Je regardai de plus près. Il y avait quelque chose à l'intérieur, qui courait en son milieu d'une extrémité à l'autre. C'était un pendentif d'or fin que Domino portait d'habitude autour du cou. Il l'appelait son talisman. Qu'est-ce qu'il en avait fait et pourquoi me le donnait-il ?

En faisant des signes avec ses mains, il me fit comprendre qu'il ne pouvait plus le porter à son cou à cause de ses plaies. Il l'avait nettoyé et suspendu à un endroit invisible, et ce matin il l'avait retrouvé ainsi enchâssé.

Un miracle ordinaire.

Je voulus le lui rendre, mais il me rembarra jusqu'à ce que j'inclinasse la tête et promisse de l'accrocher à mon ceinturon avant mon départ.

Je pense que je savais qu'il ne viendrait pas. Il refusait d'abandonner ses chevaux. C'était son présent.

Lorsque je regagnai la tente des cuisines, Patrick m'attendait en compagnie d'une femme que je ne connaissais pas. C'était une *vivandière*. Il n'en restait qu'une poignée, et elles étaient réservées aux officiers. Tous deux se goinfraient de pilons de poulet et m'en offrirent un.

– Paix à ton âme, dit Patrick, voyant mon horreur, ces petites choses n'appartiennent pas à Notre Seigneur, notre amie ci-présente se les est procurées et, quand je suis venu te chercher, elle était déjà là en train de faire un brin de cuisine.

– Où les avez-vous trouvés ?

– J'ai forniqué pour les avoir, les Russes en ont plein et il y a encore plein de Russes à Moscou.

Je rougis et marmonnai que les Russes s'étaient sauvés.

Elle éclata de rire et déclara que les Russes pouvaient se cacher derrière un flocon. Puis elle ajouta :

– Ils sont tous différents

– Qui ?

– Les flocons. Réfléchissez.

Je réfléchis et tombai amoureux d'elle.

Quand j'annonçai que je partais le soir même, elle me demanda si elle pouvait venir avec moi.

– Je peux vous être utile.

Je l'aurais emmenée avec moi, même si elle avait été boiteuse.

– Si vous partez tous les deux, intervint Patrick, finissant son flacon de liqueur, moi aussi je viens. Ça ne me dit rien de rester seul ici.

Je fus déconcerté et succombai un instant aux affres de la jalousie.

Peut-être Patrick l'aimait-il ? Peut-être l'aimait-elle ?

L'amour. Au beau milieu d'un hiver zéro. À quoi pensais-je ?

Nous empaquetâmes le reste des provisions de notre amie, plus une bonne partie de celles de Bonaparte.

Il avait confiance en moi et je ne l'avais jamais déçu jusque-là.

Eh bien, même un grand homme peut se tromper.

Nous prîmes nos effets, et elle revint drapée dans une immense fourrure, un autre de ses souvenirs moscovites. Au moment de nous mettre en route, je me glissai dans la tente de Domino, lui laissai autant de nourriture que j'osai me le permettre et gravai mon nom sur le givre du traîneau.

Puis nous nous sauvâmes.

Nous marchâmes une nuit et un jour entier sans nous arrêter. Nos jambes se mouvaient avec gaucherie et nous redoutions de devoir faire halte au cas où nos poumons ou nos genoux nous lâcheraient. Nous ne disions mot ; nous avions enveloppé nos nez et nos bouches le plus serré possible en ne laissant apparaître que les fentes de nos yeux. Il n'y avait pas de neige fraîche. Le sol durci résonnait sous nos talons.

Je me souvins de la femme avec son bébé et de ses talons qui jetaient des étincelles sur les pavés.

– Bonne année, soldat.

Pourquoi tous les bons souvenirs semblent-ils dater d'hier malgré le nombre des années ?

Nous allions dans la direction par où nous étions venus, voyant dans les villages carbonisés autant d'écriteaux macabres, mais notre progression était lente, et nous appréhendions de nous lancer directement sur les routes par peur des troupes russes ou d'éléments incontrôlés de notre propre armée. Les mutins ou traîtres, comme on les appelait le plus souvent, n'étaient l'objet d'aucune clémence et n'avaient guère l'occasion de se justifier. Nous bivouaquions là où s'offrait un abri naturel et nous blottissions les uns contre les autres pour avoir chaud. Je brûlais de toucher son corps, mais elle était couverte de la tête aux pieds et mes mains étaient gantées.

Le septième soir, en sortant de la forêt, nous trouvâmes une cabane remplie de mousquets archaïques, un dépôt à l'usage des troupes russes avons-nous supposé, mais il n'y avait pas âme qui vive. Nous étions épuisés et tentâmes notre chance à l'intérieur, utilisant les fonds des barils de poudre pour faire une flambée. C'était la première fois qu'un abri nous permettait de retirer nos bottes, et Patrick et moi ne tardâmes pas à tendre nos orteils aux flammes malgré le risque de lésions irréversibles encouru par nos pieds.

Notre camarade défit ses lacets mais garda ses bottes, et voyant ma surprise devant ce mépris d'un luxe inespéré, elle s'expliqua :

– Mon père était batelier. Les bateliers ne retirent jamais leurs bottes.

Nous restâmes silencieux, par respect pour ses coutumes ou par le simple effet de la fatigue, et ce fut elle qui se proposa de nous raconter son histoire si nous choisissions de l'écouter.

– Un feu et une histoire, s'exclama Patrick. À présent, ce qu'il nous faut, c'est un petit cordial, et de sonder le fond de ses insondables poches, d'où il exhuma une nouvelle bouteille de liqueur bouchée.

Voici son histoire.

J'ai toujours aimé le jeu. C'est un art qui me vient naturellement comme le vol et l'amour. Ce que je ne savais pas d'instinct, je l'appris en travaillant au Casino, à force de regarder les autres jouer et de jauger ce qui a de la valeur pour les êtres et par conséquent ce qu'ils acceptent de miser. J'appris comment on lance un défi de sorte à le rendre irrésistible. Nous jouons dans l'espoir de gagner, mais c'est la perspective de ce que nous pouvons perdre qui nous excite.

La manière de jouer est affaire de tempérament ; cartes, dés, dominos, jonchets, telle préférence n'est qu'affectation. Tous les joueurs suent à grosses gouttes. Je viens de la cité des hasards, où tout est possible, mais où tout a un prix. Dans cette cité, des fortunes fabuleuses se gagnent et se perdent en une nuit. Il en a toujours été ainsi. Des bateaux qui transportent de la soie et des épices sombrent, le serviteur trahit le maître, un secret est divulgué et le glas sonne pour une nouvelle mort accidentelle. Mais les aventuriers sans le sou ont toujours été les bienvenus ici, ils portent bonheur, et très souvent ce bonheur déteint sur eux-mêmes. Certains arrivent à pied et repartent à cheval, tandis que d'autres qui vantaient leur fortune mendient sur le Rialto. Il en a toujours été ainsi.

Le joueur astucieux garde par-devers lui de quoi pouvoir jouer une autre fois : une montre de gousset, un chien de chasse. Mais le joueur impénitent, lui, garde par-devers lui quelque chose de précieux, qu'il puisse miser une seule fois dans son existence. Derrière un panneau secret il la garde, cette chose fabuleuse et inestimable dont personne ne soupçonne qu'il la possède.

J'ai connu un homme de cette qualité ; pas un ivrogne haletant au moindre pari ni un exalté qui laisserait sa chemise plutôt que de rentrer chez lui. Un homme réfléchi dont on dit qu'il trempait dans le commerce de l'or et de la mort. Il perdait gros, comme tous les joueurs ; plus étonnant, il gagnait, comme tous les joueurs, mais il ne montrait pas beaucoup d'émotion, ne me permit jamais de soupçonner que l'enjeu était si important. Un amateur, pensai-je, le dédaignant. Vous voyez, j'aime la passion, j'aime la fréquentation des désespérés.

J'eus tort de le dédaigner. Il attendait le pari qui l'inciterait à risquer ce qui avait de la valeur à ses yeux. C'était un vrai joueur, prêt à risquer cette chose fabuleuse et inestimable, mais pas contre un chien, un coq ou un coup de dés.

Par une soirée tranquille, où les tables étaient presque vides et les dominos rangés dans leurs boîtes, il était là, à déambuler, papillonner, boire et badiner.

Je m'ennuyais.

Alors un inconnu pénétra dans la salle, non point un de nos habitués, ni quelqu'un que nous connaissions, et après plusieurs timides essais aux jeux de hasard, il remarqua ce personnage et lia conversation avec lui. Ils bavardèrent pendant plus d'une demi-heure et si passionnément que nous les prîmes pour de vieux amis et nous désintéressâmes de cette démonstration de vieilles habitudes. Mais l'homme riche avec, à ses côtés, son compagnon terriblement voûté demanda l'autorisation de faire une annonce, un pari des plus singuliers, et nous quittâmes le centre de la pièce afin de le laisser parler.

Il s'avéra que ledit compagnon, cet étranger, venait des déserts du Levant, qui pullulent de lézards exotiques et où tout est extraordinaire. Dans son pays, à la table de jeu, nul ne s'embarrassait de misérables fortunes, les enjeux étaient plus importants.

Une vie.

L'objet du pari était une vie. Le gagnant devait ôter la vie au perdant à la manière de son choix. Aussi lentement qu'il le voulait, avec les instruments de son choix. Ce qui était sûr, c'était que seule une vie serait épargnée.

Notre riche ami était manifestement excité. Ses yeux parcoururent les visages et les tables de la salle de jeu avant de se perdre dans un lieu qui nous était inaccessible : celui de la souffrance et de la perte. Que lui en coûtait-il de perdre des fortunes ?

Il avait des fortunes à perdre.

Que lui en coûtait-il de perdre des maîtresses ?

Il ne manque pas de femmes.

Que lui en coûtait-il de perdre la vie ?

Il n'avait qu'une vie. Il y tenait.

Il y en eut ce soir-là qui le supplièrent d'abandonner la partie, trouvant un air sinistre à ce vieillard inconnu et craignant peut-être de se voir faire la même offre et de devoir refuser.

Ce qu'on risque révèle ce à quoi l'on attache du prix.

Telles étaient les conditions.

Une partie en trois manches.

La première, à la roulette, où seul règne le hasard.

La deuxième, aux cartes, où l'art joue son rôle.

La troisième, aux dominos, où l'art prime et où le hasard n'est qu'apparence.

Arborera-t-elle vos couleurs ?

C'est la cité des apparences.

On convint des conditions, lesquelles furent établies avec précision. Le gagnant devait remporter deux manches sur trois, ou bien, au cas où la galerie crierait Nenni !, il y aurait une belle, choisie au hasard par le directeur du Casino.

Les conditions semblaient loyales. Plus que loyales dans ce monde de tricherie, mais il y en avait encore certains que l'inconnu mettait mal à l'aise malgré ses airs effacés et inoffensifs.

Si le Diable joue aux dés, ne se présentera-t-il pas en cet équipage ?

Ne se présentera-t-il pas aussi discrètement pour chuchoter à notre oreille ?

S'il se présentait en ange de lumière, nous serions immédiatement sur nos gardes.

Le signal fut donné : « Jeu ».

Nous bûmes pendant toute la première manche, hypnotisés par le rouge et le noir qui tourbillonnaient sous nos mains, hypnotisés par le brillant éclair métallique qui virevoltait d'un nombre à un autre, insensible au gain ou à la perte. D'abord, on eût dit que notre riche ami allait gagner, mais au dernier moment la boule bondit hors de son encoche et se remit à tournoyer avec cet horrible bruit faiblissant qui accompagne le dernier changement possible.

La roulette finit par s'immobiliser.

C'était l'étranger, l'enfant chéri de la fortune.

Il y eut un instant de silence, nous nous attendions à un signe quelconque d'inquiétude de la part de l'un, de satisfaction chez l'autre, mais avec un visage de marbre, les deux hommes se levèrent et se dirigèrent vers le tapis vert de toutes les espérances. Les cartes. Nul ne sait ce qu'elles peuvent receler. Un joueur doit se fier à sa main.

Donne rapide. C'étaient des habitués.

Ils jouèrent une heure durant peut-être et nous, nous buvions. Nous buvions afin d'humecter nos lèvres, nos lèvres qui se desséchaient chaque fois qu'une carte s'abattait et que l'étranger semblait condamné à la victoire. Dans la pièce, tous avaient le sentiment bizarre que l'étranger ne devait pas gagner, que, pour notre salut à tous, il fallait qu'il perdît. Nous souhaitions que notre riche ami s'accrochât à son étoile, et c'est ce qu'il fit.

Il gagna aux cartes, et ils se retrouvèrent à égalité.

Les deux hommes se mesurèrent un moment du regard avant de s'installer devant les dominos, et chaque visage avait déteint sur celui de l'autre. Notre riche ami avait pris une expression plus calculatrice, alors que la physionomie de son partenaire était plus pensive, moins cruelle qu'auparavant.

Il fut évident dès le début qu'ils étaient aussi de force égale à ce jeu. Ils jouaient d'une main experte, jonglant avec les vides et les chiffres, effectuant des calculs à la vitesse de l'éclair, se contrant mutuellement. Nous avions cessé de boire. Il n'y avait pas un bruit, pas un geste, excepté le cliquetis des dominos sur le plateau de marbre.

Il était un peu plus de minuit. J'entendis le clapotis de l'eau sur les pavés dans la rue. Je m'entendis déglutir, j'entendis le cliquetis des dominos sur le plateau de marbre.

Il ne restait plus de dominos. Plus de vides.

L'étranger avait gagné.

Les deux hommes se levèrent ensemble, se serrèrent la main. Puis l'homme riche posa ses mains sur le marbre, et nous vîmes qu'elles tremblaient. De belles mains généreuses qui tremblaient. L'étranger le remarqua et suggéra avec un petit sourire qu'ils missent à exécution les conditions de leur pari.

Aucun de nous ne protesta, aucun de nous ne tenta de l'arrêter. Désirions-nous que cela arrive ? Espérions-nous qu'une vie pût en remplacer nombre d'autres ?

J'ignore nos motifs, je sais seulement que nous restâmes silencieux.

Voici quelle devait être sa mort : dépeçage de son corps, à commencer par les mains.

L'homme riche fit un signe de tête presque imperceptible et, s'inclinant vers nous, sortit en compagnie de l'étranger. Nous n'entendîmes plus parler de rien, ni ne revîmes jamais aucun des deux, mais un jour, bien des mois après, quand nous nous fûmes convaincus que c'était une plaisanterie, qu'ils s'étaient séparés au coin de la rue, ni vus ni connus, après s'être donné le frisson, sans plus, nous reçûmes une paire de mains, manicurées et d'une blancheur immaculée, montées sur de la feutrine verte dans un globe de verre. Entre l'index et le pouce de la main gauche, il y avait une boule de roulette, et entre l'index et le pouce de la droite, un domino.

Le directeur accrocha le globe au mur, il y est toujours.

J'ai dit que derrière le panneau secret se trouve une chose fabuleuse, inestimable. Nous n'en sommes pas toujours conscients, nous ne savons pas toujours la nature de ce que nous dissimulons aux yeux fureteurs, ni que ces yeux fureteurs peuvent parfois être les nôtres.

Une nuit, voilà huit ans de cela, une main qui me prit par

surprise fit coulisser ce panneau secret et me révéla ce que je gardais pour moi.

Mon cœur est un organe sûr, comment pourrait-il s'agir de mon cœur ? Mon cœur quotidien et dur à la peine, qui se riait de la vie et ne trahissait rien. J'avais vu des poupées d'Orient qui s'emboîtaient les unes dans les autres, celles-ci masquant celles-là, donc je sais que le cœur peut se masquer à lui-même.

C'était un jeu de hasard, je m'y aventurai et mon cœur en fut l'enjeu. On ne peut jouer qu'une fois à ce genre de jeu.

Il vaut mieux ne pas jouer du tout à ce jeu-là.

C'était une femme que j'aimais, et vous admettrez que ce n'est pas banal.

Je ne la connaissais que depuis cinq mois. Après avoir passé neuf nuits ensemble, je ne l'ai plus jamais revue. Vous admettrez encore que ce n'est pas banal.

J'ai toujours préféré les cartes aux dés, aussi n'était-ce guère une surprise pour moi si j'avais tiré une carte spéciale.

La Dame de pique.

Elle vivait avec simplicité et élégance, et son époux était parfois appelé à l'étranger pour examiner une nouvelle rareté (il faisait le commerce de livres et de cartes) ; il fut appelé à l'étranger peu après notre première rencontre. Pendant neuf jours et neuf nuits, nous nous cloitrâmes dans sa demeure, sans jamais ouvrir la porte ni jeter un regard par la fenêtre.

Nous étions nues et n'en avions pas honte.

Et nous étions heureuses.

Le neuvième jour, elle m'abandonna un moment parce qu'elle devait régler certaines affaires domestiques avant le retour de son mari. Ce jour-là, la pluie éclaboussait les vitres et faisait monter les canaux, brassant les immondices qui gisent sous la surface, immondices dont se nourrissent les rats et les émigrés au fond de leurs obscurs labyrinthes. C'était le début de l'année. Elle m'avait dit qu'elle m'aimait. Je n'ai jamais douté de sa parole parce que je sentais à quel point c'était vrai. Dès qu'elle me touchait, je savais que j'étais aimée et avec une passion que je n'avais jamais ressentie auparavant. Pas plus chez quelqu'un d'autre qu'en moi-même.

L'amour est à la mode de nos jours et, dans cette cité des modes, nous nous devons de prendre l'amour à la légère et de tenir nos cœurs en laisse. Moi qui me prenais pour une femme civilisée, j'ai découvert que j'étais une sauvage. Quand j'envisageais de la perdre, je préférais nous noyer toutes les deux en quelque lieu solitaire plutôt que de me sentir une bête qui n'a pas d'amis.

Le neuvième jour, comme à l'accoutumée, nous avons dîné puis bu seules dans la maison, une fois ses serviteurs congédiés. Elle adorait préparer des omelettes aux herbes ; nous les mangions garnies de radis chauds qu'elle se procurait chez un marchand. De temps en temps, notre conversation languissait et je lisais demain dans ses yeux. Demain, où nous nous séparerions et reprendrions notre vie d'étranges rendez-vous dans des quartiers louches. Il y avait un café où nous avions l'habitude d'aller, et qui était rempli d'étudiants de Padoue et d'artistes en mal d'inspiration. Là, personne ne la connaissait. Elle ne risquait pas de tomber sur ses amis. Ainsi nous allions au-devant l'une de l'autre, y compris aux heures qui ne nous appartenaient pas, jusqu'à cette bénédiction de neuf jours.

Je n'allai pas au-devant de sa tristesse ; son fardeau était trop lourd.

Il n'y a pas de sens à aimer un être auprès de qui il vous est interdit de vous réveiller, sauf à l'occasion.

Le joueur se laisse entraîner dans l'espoir du gain, frémit à l'idée de perdre, et quand il gagne, il croit que sa chance est revenue, qu'il va encore gagner.

Si neuf nuits étaient possibles, pourquoi pas dix ?

Ainsi va la vie et les semaines passent en attendant la dixième nuit, en attendant de regagner et, pendant ce temps-là, l'on perd peu à peu cette chose fabuleuse et inestimable qui est irremplaçable.

Son époux ne s'intéressait qu'à ce qui était unique, il n'achetait jamais un trésor qu'un autre pouvait posséder.

Achèterait-il donc mon cœur pour lui en faire cadeau ?

Je l'avais déjà joué pour neuf nuits. Le matin où je m'en allai, je n'ai pas dit que je ne la reverrais pas. Simplement je n'ai pris aucune disposition. Elle ne m'a pas pressée de le faire, elle avait souvent répété qu'à mesure qu'elle prenait de l'âge, elle prenait la vie comme elle venait, sans rien en attendre.

Puis je partis.

Chaque fois que j'étais tentée de la voir, j'allais plutôt au Casino et regardais n'importe quel imbécile s'humilier aux tables. J'aurais pu miser sur une nuit de plus, m'avilir un tantinet davantage, mais après la dixième nuit viendraient la onzième et la douzième, et ainsi de suite dans l'espace silencieux ouvert par la souffrance de n'en avoir jamais assez. Cet espace silencieux rempli d'enfants affamés. Elle aimait son époux.

Je décidai de me marier.

Il y avait un homme qui me désirait depuis longtemps, un homme que j'avais repoussé, maudit. Un homme que je méprisais. Un homme riche aux doigts boudinés. Il aimait que je m'habille en garçon. De temps en temps j'aime bien m'habiller en garçon. Nous avions un point commun.

Il venait au Casino tous les soirs, jouait gros mais ne risquait rien de trop précieux. Il n'était pas fou. Il m'empoigna avec ses horribles mains, ses bouts de doigts qui me faisaient l'effet de furoncles sur le point de percer et me demanda si j'avais changé d'avis concernant son offre. Nous pourrions parcourir le monde, disait-il. Rien que nous trois. Lui, moi et ma braguette.

Je viens d'une cité protéiforme. Elle change de dimensions. Des rues apparaissent et disparaissent en une nuit, de nouveaux bras de mer se fraient un passage sur la terre ferme. Il y a des jours où l'on ne peut pas se rendre d'un bout à l'autre de la ville, si longues sont les distances, et il y en a d'autres où l'on fait le tour de son royaume en se promenant, tel un prince au petit pied.

Je commençais à avoir l'impression que cette ville ne contenait que deux êtres qui sentaient mutuellement leur présence sans jamais se croiser. Quand je sortais, j'avais l'espoir tout autant que je redoutais de voir l'être aimé. Dans les traits des étrangers, je distinguais un seul visage, et dans le miroir je voyais le mien.

Le monde.

Le monde est certainement assez vaste pour l'arpenter sans crainte.

Nous nous mariâmes sans cérémonies et nous mîmes en route sur-le-champ pour la France, l'Espagne et même Constantinople. À cet égard, c'était un homme de parole, et tous les mois je buvais mon café en un lieu différent.

Dans une ville au climat agréable, il y avait un jeune Juif qui aimait boire son café à la terrasse des restaurants et regarder le monde défiler sous ses yeux. Il voyait des marins, des voyageurs, des femmes avec des cygnes dans leur chevelure et toutes sortes de spectacles fantaisistes.

Un jour, il vit une jeune femme passer en un tourbillon, avec ses vêtements qui tourbillonnaient derrière elle.

Elle était belle et parce qu'il savait que la beauté nous rend meilleurs, il lui demanda de faire une halte et de prendre le café avec lui.

– Je m'enfuis, répliqua-t-elle.

– Et qui fuyez-vous ?

– Moi-même.

Mais elle accepta de s'asseoir un moment car elle se sentait seule.

Il s'appelait Salvador.

Ils parlèrent de chaînes de montagnes et d'opéra. Ils parlèrent d'animaux dotés de carapaces métalliques et capables de descendre toute une rivière à la nage sans remonter à la surface pour respirer. Ils parlèrent de la chose fabuleuse et inestimable que chacun possède et garde secrètement.

– Tenez, dit Salvador, regardez ceci, et il sortit une boîte au couvercle émaillé et à l'intérieur doublé moelleusement, un écrin où se trouvait son cœur.

– Donnez-moi le vôtre en échange.

Mais elle ne pouvait pas parce qu'elle voyageait sans son cœur ; ce dernier battait sous d'autres cieux.

Elle remercia le jeune homme et alla retrouver son époux dont les mains rampaient sur son corps à la façon des crabes.

Et le jeune homme repensa souvent à la belle inconnue de

cette journée ensoleillée où le vent avait agité ses pendants d'oreilles comme des nageoires.

Nous voyageâmes pendant deux ans, puis je dérobai sa montre et tout l'argent qu'il avait sur lui et le quittai. Je me déguisai en garçon pour passer inaperçue, et tandis qu'il cuvait son vin rouge et digérait son oie grasse, je me perdis dans l'obscurité qui avait toujours été mon amie.

J'exerçai de petits métiers sur les bateaux et dans de grandes maisons, appris à parler cinq langues et ne revis pas cette cité du destin avant encore trois ans, puis sur un coup de tête, et parce que je voulais reprendre mon cœur, je pris un bateau pour rentrer chez moi. J'aurais dû me garder de risquer ma chance dans la cité engloutie. Il ne tarda pas à me retrouver et sa rage d'avoir été volé et abandonné était toujours aussi vivace, même s'il s'était déjà mis en ménage avec une autre femme.

Un ami à lui, un homme raffiné, nous suggéra un petit pari, moyen de régler nos différends. Nous devions jouer aux cartes et si je gagnais, j'aurais la liberté d'aller et venir à ma guise et suffisamment d'argent pour vivre. Si je perdais, mon époux ferait de moi ce qu'il lui plairait, quoiqu'il dût s'abstenir de me rudoyer ou de m'assassiner.

Quel autre choix avais-je ?

À l'époque, je crus que j'avais mal joué, mais plus tard je découvris par hasard que les cartes étaient truquées, les dés pipés d'avance. Comme je vous l'ai dit, mon mari n'est pas fou.

Ce fut le valet de cœur qui causa ma perte.

Quand je perdis, je pensais qu'il me ramènerait de force à la maison et qu'on n'en parlerait plus, au lieu de quoi il me laissa trois jours dans l'expectative, puis m'envoya un message pour que je vienne le voir.

À mon arrivée, il était en compagnie de son ami ainsi que d'un officier de haut rang, un Français dont j'appris que c'était le général Murat.

Cet officier m'examina des pieds à la tête sous ma mise de femme, puis il me demanda d'enfiler mon déguisement préféré. Il fut saisi d'admiration et, se détournant de moi, exhuma une sacoche de ses vêtements et la déposa sur la table entre lui et mon mari.

– Voici le prix dont nous avions convenu, déclara-t-il.

Et mon mari, les doigts tremblants, recompta la somme.

Il m'avait vendue.

Je devais rejoindre l'armée, rejoindre les généraux pour leur plaisir.

C'était un honneur, m'assura Murat.

Ils ne me laissèrent pas le temps de recouvrer mon cœur, seulement mes bagages, mais je leur en suis reconnaissante : le cœur n'a pas sa place ici.

Elle se tut. Patrick et moi, qui n'avions pas prononcé un mot ni esquissé le moindre mouvement sauf pour empêcher nos pieds de rôtir, nous sentions incapables de parler. Ce fut elle qui brisa de nouveau le silence.

– Passez-moi votre liqueur, toute histoire mérite sa récompense.

Elle semblait désinvolte et les ombres qui avaient traversé sa figure pendant son histoire s'étaient dissipées, mais je sentais que la mienne ne faisait que commencer.

Elle ne m'aimerait jamais.

Je l'avais rencontrée trop tard.

J'aurais voulu continuer à l'interroger sur sa cité aquatique qui n'est jamais pareille, voir ses yeux rayonner d'amour pour quelque chose à défaut de moi, mais elle était déjà en train d'étaler ses fourrures et de s'installer pour dormir. Doucement, je posai ma main sur sa figure et elle me sourit, lisant dans mes pensées.

– Quand nous en aurons fini avec cette neige, je t'emmènerai dans la cité des déguisements et tu en trouveras un qui te plaira.

Un de plus. Je suis déjà déguisé dans cet uniforme de soldat.

Je veux rentrer chez moi.

Durant la nuit, pendant que nous dormions, il se remit à neiger. Au matin, nous ne pouvions pas ouvrir la porte, pas plus Patrick ni moi qu'à nous trois. Nous dûmes défoncer le bois à l'endroit où il était fendu et, comme je suis encore fluet, je fus projeté la tête la première dans une congère plus haute qu'un homme.

Avec mes mains, j'entrepris de creuser cette substance grisante et mortelle qui me donne envie d'y plonger pour ne plus jamais en ressortir. La neige n'a pas l'air froide, on dirait qu'elle n'a pas de température du tout. Et quand elle tombe et qu'on attrape ces bouts de néant entre ses mains, il paraît incroyable qu'ils puissent faire du mal à quelqu'un. Il paraît incroyable qu'une simple multiplication puisse causer une telle différence.

Peut-être pas. Jusqu'à Bonaparte qui commençait à comprendre que les chiffres comptent. Dans ce pays immense, il y a des kilomètres, des hommes et des flocons plus qu'il n'en faut.

J'ôtai mes gants afin de ne pas les mouiller et regardai mes mains virer du rouge au blanc, puis à un beau bleu foncé sur lequel les veines se détachaient en violet, presque de la couleur des anémones. Je sentais mes poumons geler peu à peu.

Chez nous, à la campagne, à minuit, le gel fait briller la terre et aiguise les étoiles. Là-bas, le froid vous fouaille comme un fouet, mais il ne fait jamais froid au point que vous vous sentiez geler de l'intérieur. Que l'air que vous respirez saisisse les humeurs et les vapeurs, et les transforme en lacs de glace. À chaque inspiration, j'avais la sensation de me faire embaumer.

J'occupai la majeure partie de la matinée à déblayer la neige, suffisamment pour qu'on puisse ouvrir la porte. Nous repartîmes avec de la poudre à fusil et très peu de vivres, et décidâmes de continuer à nous frayer un chemin vers la Pologne ou le duché de Varsovie, ainsi que Bonaparte l'avait rebaptisée. Nous avions pour plan de longer les frontières, puis de descendre par l'Autriche, de passer le Danube et de mettre le cap sur Venise ou Trieste au cas où les ports seraient fermés. Un périple de près de deux mille deux cents kilomètres.

Villanelle savait se servir d'une carte et d'un compas ; elle disait que c'était l'avantage de coucher avec des généraux.

Notre progression était plus lente qu'à l'ordinaire en raison des congères, et nous serions morts moins d'une quinzaine de jours après nous être remis en route, n'était-ce un détour auquel nous fûmes contraints et qui nous conduisit à un petit hameau à l'écart du déploiement de nos armées. Lorsque nous aperçûmes la fumée qui montait au loin, nous avons pensé qu'il s'agissait des vestiges d'un nouveau sacrifice, mais Patrick nous jura qu'il distinguait des toits et non des restes calcinés de maisons, et il ne nous resta plus qu'à espérer que ce n'était pas sa liqueur qui nous guidait. Si c'était un village en cendres, des troupes rôderaient dans le coin.

Suivant le conseil de Villanelle, nous prétendîmes être polonais. Elle parlait cette langue aussi couramment que le russe et expliqua aux villageois méfiants que nous avions été capturés par les Français pour servir comme soldats, mais que nous nous étions sauvés après avoir massacré nos gardes. D'où nos uniformes volés, afin de ne pas nous faire remarquer. Dès que les paysans russes entendirent que nous avions massacré des Français, leurs physionomies rayonnèrent de joie, et ils nous firent immédiatement les honneurs de leurs logis en nous promettant le vivre et le couvert. De leurs bouches, et grâce aux talents d'interprète de Villanelle, nous apprîmes combien le pays avait été peu épargné, à quel point les incendies avaient été étendus. Leurs propres habitations y avaient échappé parce qu'elles étaient suffisamment éloignées et surtout parce qu'un officier supérieur russe était tombé amoureux de la fille du berger. Une idylle romanesque qui avait enflammé son cœur tout autant que son imagination. Ce Russe avait promis d'épargner le village et dérouté ses troupes en conséquence, de sorte que, nous, Français, en le suivant, avions également changé de route.

Il semble que l'amour puisse survivre même à la guerre et à un hiver glacial. Comme les framboises des neiges, nous expliqua notre hôte, et il nous raconta que ces délicates friandises apparaissent toujours en février, quel que soit le temps, quelles que soient les prévisions. Nul ne sait pourquoi, alors que les sapins sèchent sur pied et que les robustes moutons doivent être tenus au chaud, ces incroyables fruits de serre continuent à pousser.

La fille du berger était une célébrité locale.

Villanelle avait prétendu qu'elle et moi étions mariés, aussi l'on nous fit dormir dans le même lit, tandis que le malheureux Patrick dut partager celui du fils de la maison, qui était un aimable innocent. Le surlendemain, nous entendîmes des cris qui venaient de l'appentis de Patrick et nous trouvâmes ce dernier plaqué sur le dos par le fils en question, lequel était fort comme un bœuf. Ce garçon jouait des airs de sa façon sur une flûte en bois pendant que Patrick gémissait au-dessous. Nous ne réussîmes pas à le faire bouger et ce fut seulement l'épouse de notre hôte qui, d'un coup de torchon, envoya le garçon rugir et pleurnicher dans la neige. Peu de temps après, il rampa à l'intérieur et se coucha aux pieds de sa mère, les yeux écarquillés, le regard fixe.

– C'est un brave enfant, dit-elle à Villanelle.

Il semblait qu'il eût été visité par un esprit à la naissance, et que cet esprit lui eût donné le choix entre la force et l'intelligence. La femme de notre hôte haussa les épaules. À quoi servait l'intelligence en ces lieux, avec les chèvres et les moutons à soigner et les arbres à abattre ? Ils avaient remercié l'esprit et choisi la force, et aujourd'hui leur fils, qui n'avait que quatorze ans, était capable de porter cinq hommes et de soulever une vache au-dessus de sa tête comme si c'était un agneau. Il mangeait dans un seau parce qu'il n'y avait pas de plat assez grand pour rassasier sa faim. En conséquence, aux repas, nous trois étions assis face à nos écuelles et le paysan et sa femme face à leur pain dur, cependant qu'au bout de la table, leur fils, dont les épaules bouchaient la fenêtre, plongeait et replongeait sa louche dans son seau.

– Est-ce qu'il se mariera ? s'enquit Villanelle.

– Dame oui, répondit notre hôte, l'air surpris. N'importe

quelle femme rêverait d'avoir pour mari un homme beau et fort comme lui. Nous lui trouverons quelqu'un en temps voulu.

La nuit, je restais éveillé aux côtés de Villanelle et écoutais son souffle. Elle dormait en chien de fusil, me tournant le dos, et ne donna jamais le moindre signe qu'elle avait envie d'une caresse. Je la caressais quand j'étais sûr qu'elle était endormie. Je faisais remonter ma main le long de son échine et me demandais si toutes les femmes étaient aussi douces et fermes au toucher. Une nuit, elle se retourna brusquement et m'ordonna de lui faire l'amour.

– Je ne sais pas comment on fait.

– Alors c'est moi qui te ferai l'amour.

Quand je songe à cette nuit-là, en cet endroit où je serai à jamais, mes mains tremblent et mes muscles me font mal. Ici, je perds tout sens du jour et de la nuit, je perds tout sens de ma tâche, qui est d'écrire cette histoire en essayant de vous relater ce qui s'est réellement passé et de ne pas trop inventer. Je peux y songer par distraction, les mots se brouillant sous mes yeux, la plume levée et en suspens, je peux y songer pendant des heures et pourtant c'est toujours le même moment que je revois. Ses cheveux comme elle se penchait au-dessus de moi, roux avec des mèches dorées, ses cheveux sur mon visage et ma poitrine, et moi qui la regardais à travers eux. Elle les laissa couler sur moi et j'eus la sensation d'être couché dans l'herbe haute, en sécurité.

Nous partîmes du village munis d'une carte complétée de toute une série de raccourcis et chargés de plus de provisions que le couple de paysans ne pouvait se permettre de nous donner. J'avais mauvaise conscience parce que, Villanelle exceptée, ils auraient dû nous tuer.

Où que nous allions, nous rencontrions des hommes et des femmes qui haïssaient les Français. Des hommes et des femmes dont on avait décidé l'avenir à leur place. Ce n'étaient pas des lettrés mais des gens de la terre qui se contentaient de peu et défendaient le culte de Dieu et de la tradition. Bien que leurs existences n'eussent pas beaucoup varié, ils se sentaient offensés du fait que leurs chefs l'avaient été, ils se sentaient à l'abandon et prenaient en mauvaise part les armées et les souverains fantoches que Bonaparte laissait sur son passage. Bonaparte se vantait toujours de savoir ce qui était bon pour un peuple, de savoir comment l'amener sur la voie du progrès, comment l'éduquer. Ce qu'il fit ; il montrait le progrès partout où il allait, mais il oubliait continuellement que même des gens simples veulent être libres de commettre leurs propres erreurs.

Bonaparte ne voulait aucune erreur.

En Pologne, nous nous fîmes passer pour des Italiens et eûmes droit à la sympathie qu'une race occupée réserve à une autre. Quand Villanelle révélait ses origines vénitiennes, les mains se plaquaient sur les bouches et les bigotes se signaient. Venise, la cité de Satan. Était-ce vrai ? Et jusqu'aux plus désapprobateurs, ils se coulaient à sa hauteur pour lui demander s'il y avait vraiment onze mille prostituées toutes plus riches que le roi.

Villanelle, qui adorait raconter des histoires, alimentait leurs rêves les plus fous. Elle déclara même que les bateliers avaient les pieds palmés, et tandis que Patrick et moi avions du mal à nous retenir de rire, les Polonais ouvraient des yeux ronds et il y en eut même un qui risqua l'excommunication en suggérant que peut-être le Christ avait pu marcher sur l'eau grâce à un accident de naissance identique.

Au cours de nos tribulations, nous eûmes des nouvelles de la Grande Armée et de ses milliers de morts ; j'étais écœuré d'apprendre un tel gâchis en pure perte. Bonaparte disait qu'une nuit à Paris chez les putains ragaillardirait les hommes. Sans doute, mais ils mettraient dix-sept ans avant de grandir.

Même les Français commençaient à se fatiguer. Même les femmes sans ambition ne se satisfaisaient plus d'enfanter des garçons pour servir de chair à canon ou des filles pour enfanter encore plus de garçons. Nous étions las. Talleyrand écrivit au Tzar et lui dit : *Le peuple français est civilisé, son souverain ne l'est pas...*

Nous ne sommes pas particulièrement civilisés, nous voulions ce qu'il voulait depuis des lustres. Nous voulions la gloire, des conquêtes, des esclaves, des louanges. Son désir brûla plus longtemps que le nôtre parce qu'il n'était guère probable qu'il le paierait de sa vie. Jusqu'au dernier moment, il conserva sa chose fabuleuse et inestimable à l'abri derrière son panneau secret, mais nous, qui possédions si peu à l'exception de nos vies, dès le début, nous risquions tout ce que nous avions.

Il comprit ce que nous ressentions.

Il médita nos pertes.

Il avait des tentes et des vivres quand nous nous faisions décimer.

Il tentait de fonder une dynastie. Nous vendions cher notre peau.

Il n'y a pas de limites à la victoire. Une conquête ne peut que mener, inéluctablement, à une autre, afin de protéger ce qui a été acquis. Nous ne rencontrâmes aucun ami de la France pendant notre voyage, seulement des ennemis anéantis. Des ennemis comme vous et moi, avec les mêmes espérances et les mêmes peurs, ni bons ni mauvais. J'avais été préparé à donner la chasse aux monstres et aux démons, et je trouvais de braves gens.

Mais les braves gens faisaient eux aussi la chasse aux démons. Les Autrichiens, en particulier, croyaient que les Français étaient des brutes on ne peut plus méprisables. Toujours persuadés que nous étions italiens, ils se montraient généreux à l'excès et, sur tous les points, nous comparaient favorablement aux Français. Et si j'avais levé le masque ? Alors me serais-je transformé en démon sous leurs yeux ? Je redoutais qu'ils ne flairassent quelque chose, que leurs nez, si dédaigneux et exercés à exécrer tout ce qui sentait Bonaparte, ne me découvrissent sur-le-champ. Mais il paraît que nous sommes ce que nous paraissons. Combien absurdes se révèlent nos haines quand nous ne reconnaissons leurs objets que dans les circonstances les plus évidentes.

Nous n'étions pas loin du Danube lorsque Patrick commença à se comporter bizarrement. Nous voyagions depuis plus de deux mois et nous trouvions dans une vallée cernée de forêts de sapins. Nous étions tout au fond, comme des fourmis au milieu d'une immense cage verte. Nous nous donnions du bon temps maintenant que nous avions laissé derrière nous la neige et les grands froids. L'euphorie régnait ; encore quinze jours peut-être et nous atteindrions l'Italie. Patrick chantait depuis que nous avions quitté Moscou. Des chansons discordantes, inintelligibles, mais dont les airs nous étaient devenus familiers et rythmaient notre marche. Depuis la veille, il était resté silencieux, mangeant à peine et ayant avalé sa langue. Ce soir-là dans la vallée, quand nous nous installâmes autour du feu, il se mit à parler de l'Irlande et de son désir de rentrer chez lui. Il se demandait s'il réussirait à convaincre l'évêque de lui confier une nouvelle paroisse. Il regrettait la vie de prêtre : « et pas uniquement à cause des filles, bien que cela comptât, je l'admets. »

Il disait qu'il y avait un sens, que l'on fût croyant ou non, à aller à l'église et à s'en référer à quelqu'un qui ne faisait pas partie de sa famille ou de ses ennemis.

J'objectai que c'était de l'hypocrisie et il répliqua que Domino avait raison à mon sujet : j'étais puritain dans l'âme et ne comprenais rien aux tourments et aux égarements de l'humble condition humaine.

Cela me blessa profondément, mais je pense qu'il disait la vérité, et que c'est là mon grand défaut.

Villanelle nous parla des églises de Venise avec leurs fresques d'anges, de démons, de voleurs, de femmes adultères et d'animaux. Patrick s'anima et songea à tenter d'abord sa chance à Venise.

Il me réveilla en pleine nuit. Il délirait. Je voulus le recoucher, mais il est robuste et ni moi ni Villanelle n'avons osé braver ses coups de poing et de pied. Il était en nage malgré la fraîcheur de la nuit et ses lèvres étaient couvertes de sang. Nous empilâmes nos couvertures sur lui et je tâtonnais dans l'obscurité qui me terrifiait encore pour chercher du bois sec et ranimer le feu. Nous lui fîmes une belle flambée, mais il n'arrivait pas à se réchauffer. Il suait et tremblait, et criait qu'il allait mourir de froid, que le Diable était entré dans ses poumons et que le vent de la damnation soufflait en lui.

Il mourut peu avant l'aube.

Nous n'avions pas de pelles, aucun moyen d'entamer la terre noire, aussi à nous deux nous l'avons transporté à la lisière des sapins, puis recouvert de fougères, de feuilles et de branches. Enterré comme un hérisson qui attend l'été.

Après quoi nous fûmes saisis de peur. De quoi était-il mort et n'avions-nous pas attrapé la même chose ? Malgré le temps et notre envie de déguerpir, nous sommes allés au bord de la rivière, avons fait notre toilette, lavé nos habits et frissonné au coin du feu sous le pâle soleil d'après-midi. Villanelle discourait tristement du catarrhe, mais à l'époque j'ignorais tout de cette maladie vénitienne dont maintenant je subis les attaques chaque année en novembre.

Quand nous abandonnâmes Patrick derrière nous, notre bel optimisme nous abandonna avec lui.

Nous commencions à croire que nous arriverions à bon port, et désormais cette possibilité semblait compromise. Si un peut disparaître, pourquoi pas trois ? Nous tâchâmes de plaisanter, nous remémorant sa tête quand le garçon fort comme un bœuf s'était assis sur lui, ses visions insensées ; une fois il affirma avoir entrevu la Sainte Vierge en personne en train de faire le tour des cieux sur un âne doré. Il voyait continuellement des choses et peu importait quoi ou comment, ce qui comptait c'est qu'il les voyait et nous racontait des histoires. Seules nous restaient ses histoires.

Il nous avait relaté l'histoire de son œil miraculeux, et quand et comment il l'avait découvert pour la première fois. C'était dans le comté de Cork, par une chaude matinée ; les portes de l'église étaient grandes ouvertes pour lutter contre la chaleur et les relents de sueur que même un bon bain n'avait pas réussi à chasser après six jours passés aux champs. Patrick faisait un beau sermon sur l'Enfer et les tentations de la chair, et ses yeux scrutaient son assistance ; du moins son œil droit, car pour ce qui était du gauche, il s'aperçut qu'il était rivé à trois pâtures de là, sur deux de ses paroissiens qui commettaient l'adultère à ciel ouvert pendant que leurs époux respectifs priaient à genoux dans son église.

À la fin de son sermon, Patrick fut plongé dans la perplexité. Est-ce qu'il les avait vus ou était-il comme saint Jérôme, sujet à des visions licencieuses ? Dans l'après-midi, il partit leur rendre visite et, après quelques propos fortuits, il jugea à leurs airs coupables qu'ils avaient effectivement fait ce qu'il pensait qu'ils avaient fait.

Dans sa paroisse, il y avait une femme très dévote avec une poitrine qui la précédait, et Patrick remarqua que depuis son petit presbytère il pouvait voir jusque dans sa chambre sans l'aide d'une vulgaire lunette. Il regardait à l'occasion, juste pour s'assurer qu'elle n'était pas en état de péché. Il estimait après tout que le Seigneur devait lui avoir accordé cet œil dans un dessein vertueux.

N'avait-Il pas accordé la force à Samson ?

« Et Samson aussi était amateur de femmes. »

Pouvait-il nous apercevoir à présent ? Pouvait-il jeter un regard en bas depuis sa place auprès de la Sainte Vierge et nous voir nous en aller en pensant à lui ? Peut-être maintenant voyait-il au loin des deux yeux. J'aurais voulu qu'il monte au Paradis même si je ne croyais pas à son existence.

J'aurais voulu qu'il nous voie chez nous.

Nombre de mes amis étaient morts. Sur les cinq d'entre nous qui avions brocardé la grange rouge et les veaux que nous avions élevés, il n'en restait qu'un. D'autres que j'avais rencontrés au fil des années et auxquels je m'étais habitué avaient été mortellement blessés ou portés disparus sur un champ de bataille ou un autre. Un combattant prend soin de ne pas nouer trop d'attaches. J'ai vu un boulet de canon couper un maçon en deux, un homme que j'appréciais, et je m'entêtai à traîner ses deux moitiés loin du théâtre des opérations, mais quand je revins chercher ses jambes, rien ne les différenciait des autres jambes. Il y avait un charpentier qu'ils avaient fusillé pour avoir sculpté un lapin dans la crosse de son mousquet.

La mort au combat semblait glorieuse tant qu'on ne se battait pas. Mais pour les malheureux qui étaient ensanglantés, estropiés, condamnés à courir dans la fumée qui les étouffait jusqu'aux lignes ennemies où les attendaient les baïonnettes, la mort au combat ne semblait pas autre chose que ce qu'elle était. La mort. Le plus curieux, c'est que nous repartions toujours à l'assaut. La Grande Armée avait plus de recrues qu'elle ne pouvait instruire et très peu de déserteurs, du moins jusqu'à ces derniers temps. Bonaparte prétendait que nous avions la guerre dans le sang.

Se pourrait-il que ce soit vrai ?

Si oui, il n'y aura pas de fin à la guerre. Ni maintenant, ni jamais. Nous aurons beau crier Paix ! et courir au pays retrouver nos promises et labourer la terre, nous ne connaîtrons pas la paix, seulement une trêve avant la prochaine guerre. La guerre obscurcira toujours l'avenir. L'avenir barré.

Nous ne pouvons pas avoir cela dans le sang.

Pourquoi un peuple qui raffole du raisin et du soleil irait-il périr dans l'hiver zéro pour la gloire d'un seul homme ?

Pourquoi moi l'ai-je fait ? Parce que je l'aimais. Il était ma passion, et quand nous partons à la guerre, nous sommes loin de nous sentir indolents.

Qu'en pensait Villanelle ?

Les hommes sont violents. Voilà tout.

Être avec elle était comme d'appliquer son œil sur un kaléidoscope particulièrement coloré. Elle était toute en couleurs primaires et, bien qu'elle comprît mieux que moi les ambiguïtés du cœur, sa manière de penser n'avait rien d'équivoque.

– Moi qui viens de la cité des labyrinthes, disait-elle, si tu me demandes n'importe quelle direction, je te l'indiquerai tout de suite.

Nous étions maintenant dans le royaume d'Italie, et son plan consistait à prendre un bateau pour Venise, où nous pourrions loger dans sa famille jusqu'à ce que je puisse rentrer en France sans encombre. En échange, elle sollicitait une faveur et cette faveur concernait le recouvrement de son cœur.

– C'est mon amante qui l'a. Je le lui ai laissé. Je voudrais que tu m'aides à le reprendre.

Je lui promis mon aide, mais il y avait quelque chose que je voulais moi aussi. Pourquoi n'avait-elle jamais retiré ses bottes ? Pas même lorsque nous séjournions chez ces paysans russes ? Pas même au lit ?

Elle pouffa et tira ses cheveux en arrière. Elle avait les yeux brillants avec deux profonds sillons entre les sourcils. Je songeai que c'était la plus belle femme que j'eusse jamais vue.

– Je te l'ai dit. Mon père était batelier. Les bateliers gardent toujours leurs bottes.

Et ce fut tout ce qu'elle voulut bien me dire, mais je résolus, dès mon arrivée dans son ensorcelante cité, d'en apprendre un peu plus sur ces bateliers et leurs bottes.

Nous eûmes la chance de faire une agréable traversée, et au milieu de cette mer d'huile la guerre et l'hiver semblaient bien loin. Le passé de quelqu'un d'autre. C'est ainsi qu'en mai 1813 j'eus ma première vision de Venise.

Arriver à Venise par la mer, comme il se doit, équivaut à voir une cité de rêve se dresser et ondoyer dans les airs. C'est une certaine qualité de la lumière matinale qui fait miroiter les édifices en sorte qu'ils n'ont jamais l'air immobiles. La ville n'est pas construite d'après quelque plan que je puisse déchiffrer, mais semble plutôt avoir poussé toute seule ici et là, avec impudence. Être montée comme de la levure, selon une forme qui lui est propre. Il n'y a aucun prélude, pas de bassin pour les petites embarcations : on ancre son bateau dans la lagune et sans plus de cérémonie on est en une minute sur la place Saint-Marc. J'observai la physionomie de Villanelle, celle d'une personne qui rentre au bercail, indifférente à tout sauf à son retour. Ses yeux erraient des dômes aux chats, embrassant toute la vue et délivrant le message muet de son retour parmi eux. Je l'enviais. Moi, j'étais encore un exilé.

Nous débarquâmes et, prenant ma main, elle me guida à travers un dédale incroyable, nous faisant passer devant quelque chose qu'il me semble avoir traduit par le pont des Poings et, plus invraisemblable encore, le canal de la Toilette, jusqu'à ce que nous arrivions à un canal tranquille.

– Voici l'arrière de ma maison, annonça-t-elle, la porte d'entrée donne sur le canal.

Leurs portes d'entrée s'ouvraient sur l'eau ?

Sa mère et son beau-père nous accueillirent avec l'espèce de transports que je croyais réservés au fils prodigue. Ils tirèrent des chaises et s'assirent tout contre, si bien que tous nos genoux se touchaient, et sa mère ne cessait de sauter sur ses pieds et de courir chercher des plateaux de gâteaux et des cruchons de vin. À chacune de nos aventures, son père me donnait une claque dans le dos et s'écriait : « Ha, ha ! », tandis que sa mère levait ses mains vers la Madone en répétant : « Quelle chance que vous soyez ici ! »

Le fait que je fusse Français ne les heurtait pas du tout.

– Tous les Français ne sont pas Napoléon Bonaparte, déclara son père. J'en ai connu des honnêtes, bien que le mari de Villanelle ne fût pas de cette espèce.

Je la regardai stupéfait. Elle ne m'avait jamais dit que son imposant mari était français. Je supposais que son don pour ma langue venait de sa longue fréquentation des soldats.

Elle haussa les épaules, un geste habituel quand elle ne voulait pas s'expliquer, et s'enquit de ce que devenait son époux.

– Il va et vient, comme toujours, mais vous pouvez vous cacher.

L'idée de nous cacher tous les deux, fugitifs pour différentes raisons, séduisait grandement les parents de Villanelle.

– Du vivant de mon époux le batelier, reprit sa mère, il se passait des choses tous les jours, mais la batellerie a l'esprit de clan, et maintenant que je suis mariée à un boulanger – elle lui pinça la joue – ils agissent à leur guise et moi à la mienne.

Ses yeux s'étrécirent et elle se pencha si près que je sentis l'odeur de son petit déjeuner.

– Je pourrais vous en raconter des histoires, Henri, qui vous feraient dresser les cheveux sur la tête, et elle me tapa le genou avec une telle violence que je tombai à la renverse sur mon siège.

– Laisse ce garçon tranquille, intervint son mari, il arrive à pied de Moscou.

– Sainte Vierge, s'écria-t-elle, comment me suis-je permis ? (Et elle me força à manger une autre pâtisserie.)

Alors que j'avais mal au cœur à cause des gâteaux et du vin et que je manquais de m'écrouler d'épuisement, elle me fit les honneurs du logis et me montra en particulier le petit judas avec son miroir orienté selon un angle qui permettait de contrôler l'identité de tout visiteur à la grille du canal.

– Nous ne serons pas toujours là et il faut que vous sachiez à qui vous avez affaire si vous devez ouvrir la porte. Par mesure de prudence, je crois que vous devriez vous raser la barbe. Les Vénitiens n'ont pas beaucoup de poils et vous vous feriez remarquer.

Je la remerciai et dormis deux jours d'affilée.

Le troisième jour, je fus réveillé par le silence de la maison ; dans ma chambre, il régnait une obscurité complète, attendu que les volets étaient hermétiquement clos. Je les ouvris en grand et laissai entrer la lumière blonde qui caressa ma figure et dessina des lignes brisées sur le plancher. Je contemplais la poussière dans les rayons de soleil. La pièce était basse et de niveau inégal, et les murs présentaient des rectangles jaunis là où des tableaux avaient été accrochés. Il y avait une table de toilette et un plein broc d'eau glacée, et après tant de froid et au milieu de cette touffeur, je supportai à peine d'y tremper mes doigts et d'humecter mes yeux afin d'en chasser les dernières traces de sommeil. Il y avait aussi un miroir en pied, monté sur un châssis à pivot de bois. Ce miroir était piqué par endroits, mais je me vis, maigre et osseux, avec une tête trop grosse et une barbe de brigand. Ils avaient raison. Je devais me raser avant de sortir. Depuis ma fenêtre qui donnait sur le canal, j'apercevais tout un petit monde qui circulait sur l'eau. Des barques maraîchères, des bateaux de voyageurs, d'autres à la proue relevée et munis de dais pour protéger les dames riches dont les os avaient la finesse d'une lame de couteau. Ceux-là étaient les plus étranges de tous parce que leurs propriétaires ramaient debout. Aussi loin que portait mon regard et à intervalles réguliers, le canal était jalonné de pieux rayés de couleurs vives ; contre certains venaient buter des barques, d'autres avaient leurs bouts dorés qui s'écaillaient sous le soleil.

Je jetai l'eau sale et les vestiges de ma barbe dans le canal, et priai Dieu que mon passé ait sombré pour toujours.

Je me perdis dès le premier jour. Là où passe Bonaparte, des routes droites suivent, les bâtiments sont mis à la raison, les noms des rues ont beau changer pour commémorer telle ou telle bataille, ils sont toujours clairement indiqués. Ici, si les habitants daignent s'embarrasser de noms de rues, ils sont contents d'utiliser les mêmes maintes et maintes fois. Pas même Bonaparte ne pourrait mettre Venise à la raison.

C'est une cité de fous.

Partout, je dénichais une église et parfois j'avais le sentiment de dénicher la même place mais avec des églises différentes. Peut-être qu'ici les églises poussent en une nuit comme des champignons et se désagrègent aussi vite à l'aube ? Peut-être les Vénitiens les bâtissent-ils en une nuit ? À l'apogée de leur puissance, ils construisaient bien une galère par jour, et armée de toutes pièces. Le seul endroit rationnel de toute la ville est le jardin public et même là, par une nuit brumeuse, quatre églises sépulcrales se dressent qui écrasent les régiments de pins.

Je ne revins pas à la boulangerie avant cinq jours parce que j'avais perdu mon chemin et que je me sentais gêné de parler en français à ces gens. Je marchai à l'affût des étals de pain, le nez au vent tel un chien de chasse, dans l'espoir que l'air me renseignerait. Mais je ne trouvais que des églises.

Enfin, je tournai le coin d'une rue, un coin que j'aurais juré avoir déjà tourné des centaines de fois, quand je vis Villanelle occupée à tresser ses cheveux sur une barque.

– Nous pensions que tu étais rentré en France, me lança-t-elle. Maman en a eu le cœur brisé. Elle te voudrait pour fils.

– J'ai besoin d'un plan.

– Cela ne te servira à rien. Cette ville est vivante. Les choses changent.

– Pas les villes, Villanelle.

– Si, Henri.

Elle m'ordonna de monter à bord, me promettant une collation en cours de route.

– Je t'emmène en excursion, ainsi tu ne te perdras plus.

La barque empestait l'urine et le chou, et je l'interrogeai sur sa provenance. Elle répondit qu'elle appartenait à un montreur d'ours. Un de ses admirateurs. J'apprenais à ne pas lui poser trop de questions ; vraies ou fausses, ses réponses étaient d'habitude peu convaincantes.

Nous quittâmes le soleil, descendîmes des tunnels glacés qui me firent grincer des dents et croisâmes des chalands humides qui se faisaient remorquer avec leurs cargaisons inconnues.

– Cette ville est une ville gigogne. Des canaux cachent d'autres canaux, des ruelles se coupent et se recoupent de telle sorte que tu ne sauras pas où tu es à moins d'avoir vécu ici toute ta vie. Même quand tu connaîtras les places et que tu pourras te rendre avec assurance du Rialto au Ghetto jusque dans la lagune, il y aura toujours des endroits que tu ne trouveras jamais, et si par hasard tu les trouves, tu risques de ne plus revoir la basilique Saint-Marc. Prends ton temps dans tes entreprises et attends-toi à modifier ta route, à faire quelque chose d'imprévu si les rues t'y contraignent.

Notre promenade en barque semblait dessiner un huit dont la dernière boucle se refermait sur elle-même. Lorsque j'insinuai à Villanelle qu'elle s'enveloppait sciemment de mystère et me faisait suivre un itinéraire que jamais je ne reconnaîtrais, elle sourit et répliqua qu'elle me faisait passer par un ancien chemin que seul un batelier pouvait avoir l'espoir de retrouver.

– Les villes de l'intérieur ne figurent sur aucun plan.

Nous longeâmes des palais saccagés, dont les tentures ondoyaient à travers des fenêtres sans volets, et de temps à autre j'entrevoyais une frêle silhouette sur un balcon délabré.

– Ce sont les émigrés, des gens chassés par les Français. Ils sont morts, mais se refusent à disparaître.

Nous rencontrâmes une bande d'enfants avec des airs de petits vieux méchants.

– Je t'emmène voir mon amie.

Le canal où elle tourna était semé d'ordures et de rats qui surnageaient, leur ventre rose tourné vers le ciel. Parfois le passage devenait presque trop étroit et elle rasait les murs, éraflant des strates de vase avec sa rame. Personne ne pouvait habiter par ici.

– Quelle heure peut-il être ?

Villanelle pouffa de rire.

– L'heure des visites. J'ai amené un ami, toi.

Elle rangea sa barque dans un renfoncement puant et, accroupie sur une plate-forme précaire de cageots flottants, il y avait une femme si ravagée et si sale que j'eus peine à reconnaître en elle un être humain. Ses cheveux luisaient sous l'effet de quelque ignoble moisissure phosphorescente qui s'y était accrochée et lui donnaient l'apparence d'un démon souterrain. Elle était drapée dans les plis d'une lourde étoffe aux coloris et aux motifs indéfinissables. Une de ses mains n'avait plus que trois doigts.

– Je suis partie, dit Villanelle. Longtemps. Mais je ne repartirai plus. Voici Henri.

La créature décrépite continuait à fixer Villanelle. Elle prit la parole.

– Tu es partie comme tu dis. Je t'ai guettée en ton absence, et quelquefois j'ai vu ton fantôme errer dans les parages. Tu étais au milieu des périls et il y en a d'autres à l'horizon, mais tu ne t'en iras plus. Pas dans cette vie.

Il n'y avait pas de lumière là où nous nous blottissions. Les bâtiments de chaque côté de l'eau se refermaient comme une arche au-dessus de nos têtes. Au point que les toits semblaient se toucher par endroits. Étions-nous dans les égouts ?

– Je t'ai apporté du poisson.

Villanelle sortit un paquet que la vieille renifla avant de l'enfouir sous ses jupes. Puis elle se tourna vers moi.

– Prenez garde aux anciens ennemis sous de nouveaux déguisements.

– Qui est-ce ? demandai-je dès que nous fûmes en lieu sûr.

Villanelle haussa les épaules et je compris que je n'obtiendrais pas de vraie réponse.

– C'est une émigrée. Avant elle habitait là.

Villanelle montra du doigt un édifice oublié avec une double grille qu'on avait laissé s'enfoncer dans l'eau de sorte que les pièces du bas étaient à présent inondées. Les étages supérieurs servaient d'entrepôts et une poulie était suspendue à l'extérieur d'une des fenêtres. Du temps où elle y habitait, on dit que les lumières ne s'éteignaient jamais avant le lever du jour et que les caves contenaient des vins si rares qu'un homme pouvait trépasser s'il en buvait plus d'un verre. Ses navires parcouraient les mers et rapportaient des denrées qui firent d'elle une des femmes les plus riches de Venise. Quand on parlait d'elle, c'était avec respect, et quand on faisait allusion à son mari, on l'appelait le « Mari de la Dame Fortunée ». Elle perdit sa fortune lorsque Bonaparte s'y intéressa et l'on raconte que c'est Joséphine qui a ses bijoux.

– Joséphine collectionne les bijoux de presque tout le monde, dis-je.

Au sortir de la cité secrète, nous débouchâmes au milieu de places ensoleillées et de canaux assez larges pour contenir huit ou neuf bateaux de front et laisser néanmoins de la place aux embarcations de plaisance des visiteurs.

– C'est la saison. Et si tu restes jusqu'en août, tu pourras célébrer l'anniversaire de Bonaparte. Mais il sera peut-être mort d'ici là. Auquel cas tu seras certainement obligé d'attendre le mois d'août et nous célébrerons ses funérailles.

Elle avait arrêté sa barque devant une imposante demeure de six étages qui détenait une place de choix sur ce canal propre et élégant.

– Dans cette maison, tu trouveras mon cœur. Henri, il faut que tu t'introduises à l'intérieur et que tu le reprennes pour moi.

Était-elle folle ? Nous parlions par métaphores. Son cœur était dans son corps comme mon cœur dans le mien. Je tentai de le lui expliquer, mais elle prit ma main et la posa sur sa poitrine.

– Rends-toi compte par toi-même.

Je me rendis compte par moi-même et sans chercher de faux-fuyant fis monter et descendre ma main. Je ne sentais rien. Je plaquai mon oreille contre son corps et m'accroupis immobile au fond de la barque ; un gondolier qui passait nous adressa un sourire entendu.

Je n'entendais rien.

– Villanelle, tu serais morte si tu n'avais pas de cœur.

– Ces soldats avec qui tu vivais, crois-tu qu'ils avaient du cœur ? Crois-tu que mon gros mari a un cœur sous tout ce lard ?

Maintenant c'était à mon tour de hausser les épaules.

– Ce n'est qu'une manière de parler, tu le sais.

– Je le sais, mais je te l'ai déjà dit. C'est une cité pas comme les autres, nous faisons les choses différemment ici.

– Tu veux que j'entre dans cette maison afin d'y chercher ton cœur ?

– Oui.

C'était fantastique.

– Henri, quand nous avons quitté Moscou, Domino t'a donné une chandelle de glace avec un fil d'or à l'intérieur. Où est-elle ?

Je lui répondis que j'ignorais ce qu'elle était devenue, je pensais qu'elle avait fondu dans mon paquetage et que j'avais perdu le fil d'or. J'avais honte de l'avoir perdu, mais à la mort de Patrick j'avais négligé pendant quelque temps de prendre soin des choses auxquelles je tenais.

– C'est moi qui l'ai.

– Tu as l'or ?

J'étais incrédule, soulagé. Elle devait l'avoir trouvé et je n'avais donc pas perdu Domino après tout.

– J'ai la chandelle de glace.

Elle pêcha dans son sac et la produisit à mes yeux, aussi dure et glacée que le jour où il l'avait détachée de la toile de tente avant de me renvoyer. Je la retournai entre mes mains. La barque dansait sur l'eau et les mouettes vaquaient à leurs affaires. Je la regardai, les yeux remplis de questions, mais elle se contenta de remonter ses épaules et se tourna de nouveau face à la bâtisse.

– Ce soir, Henri. Ce soir, ils seront à Fenice. Je t'amènerai ici et je t'attendrai, mais j'ai peur d'entrer, au cas où je n'arriverai pas à me résoudre à repartir.

Elle reprit la chandelle.

– Dès que tu m'auras rapporté mon cœur, je te rendrai ton petit miracle.

– Je t'aime, dis-je.

– Tu es mon frère, répondit Villanelle.

Et elle tira sur ses rames.

Nous soupâmes ensemble, elle, ses parents et moi, et ils me pressèrent pour avoir des détails sur ma famille.

– Je viens d'un village entouré de coteaux qui ondulent au loin, tout verts et émaillés de pissenlits. Une rivière coule à côté qui inonde ses berges chaque hiver et se tarit sous la vase l'été. Nous dépendons de la rivière. Nous dépendons du soleil. Il n'y a pas de rues ni de places là d'où je viens, rien que de modestes maisons, d'ordinaire à un étage, qui sont reliées entre elles par des chemins, œuvre d'innombrables piétinements et non du tracé de la main. Nous n'avons pas d'église, nous nous servons de la grange, et en hiver nous devons nous entasser dans le foin. Nous n'avons pas vu venir la Révolution. Comme vous, elle nous a pris par surprise. Nos pensées s'attachent au bois entre nos mains, au grain que nous semons et, de temps en temps, à Dieu. Ma mère était une femme pieuse et, quand elle est morte, mon père m'a dit qu'elle tendait les bras à la Sainte Vierge et que son visage était illuminé de l'intérieur. Elle est morte accidentellement. Un cheval est tombé sur elle et lui a cassé la hanche. Nous ne disposons pas de remèdes contre ce genre de chose, seulement contre la colique et la folie. C'était il y a deux ans. Mon père pousse encore la charrue et attrape les taupes qui dévastent les prés. Si je pouvais, je m'en retournerais chez nous à la moisson pour l'aider. C'est là ma place.

– Que fais-tu de ta cervelle, Henri ? demanda Villanelle, mi-sarcastique. Un homme comme toi, instruit par un prêtre et qui a voyagé, s'est battu. À quoi penseras-tu revenu au milieu de ton bétail ?

Je haussai les épaules.

– À quoi sert d'avoir de la cervelle ?

– Vous pourriez faire fortune ici, intervint son père. Il ne manque pas d'opportunités pour un jeune homme.

– Vous pouvez rester chez nous, proposa sa mère.

Mais Villanelle n'ajouta rien, et je ne pouvais pas rester et jouer le frère quand mon cœur était transi d'amour.

– Vous savez, reprit sa mère, me prenant le bras, ce n'est pas une ville comme les autres. Paris ? Je crache dessus. (Elle cracha.) Qu'est-ce que Paris ? Quelques boulevards, plus deux ou trois boutiques de luxe. Ici, il y a des mystères connus seulement des morts. Je vous l'affirme, les bateliers ont les pieds palmés. Non, ne souriez pas, c'est vrai. J'en ai épousé un, voilà comment je le sais, et j'ai élevé des fils de mon premier lit. (Elle tendit son pied en l'air et tenta d'atteindre ses orteils.) Entre chaque orteil, il y a une membrane et grâce à ces membranes, ils marchent sur l'eau.

Son mari ne rugit pas ni n'abattit non plus la cruche d'eau sur la table, comme il faisait d'habitude quand il trouvait quelque chose amusant. Il croisa mon regard et me gratifia d'un sourire en coin.

– Un homme doit avoir l'esprit ouvert. Demandez à Villanelle.

Mais elle pinça les lèvres et ne tarda pas à sortir de la pièce.

– Elle a besoin d'un nouveau mari, expliqua sa mère d'une voix quasi suppliante. Une fois que cet homme ne sera plus en travers de son chemin… Il arrive très souvent des accidents à Venise, c'est si sombre et les eaux sont si profondes. Qui s'étonnerait d'un mort de plus ?

Son époux lui posa la main sur le bras.

– Ne tente pas le diable.

Après le repas, tandis que son père sommeillait et que sa

mère brodait un drap, Villanelle m'entraîna en bateau et nous glissâmes, formes noires sur les flots noirs. Elle avait échangé sa barque de choux et d'urine contre une gondole et ramait debout, à la manière gracieuse et si proche du déséquilibre des gondoliers. Elle prétendit que c'était une meilleure couverture ; des gondoliers traînent souvent autour des grandes maisons en quête d'une course. Je m'apprêtais à lui demander où elle s'était procuré son bateau, mais les mots moururent dans ma bouche quand je vis les pompons à la proue.

C'était une gondole funéraire.

La nuit était fraîche mais pas obscure grâce au clair de lune qui donnait une touche grotesque aux ombres que nous dessinions sur l'eau. Bientôt, nous arrivâmes à la grille et, comme elle me l'avait promis, la maison semblait vide.

– Comment vais-je entrer ? chuchotai-je, pendant qu'elle amarrait son bateau à un anneau de fer.

– Avec ça. (Elle me donna une clé. Aussi lisse et plate qu'une clé de prison.) Je l'avais gardée comme porte-bonheur. Cela ne m'a pas réussi.

– Comment trouverai-je ton cœur ? Cette maison a six étages.

– Guette son battement et regarde dans les endroits les plus invraisemblables. S'il y a un danger, tu m'entendras imiter le cri de la mouette sur les eaux et il te faudra sortir en toute hâte.

Je la quittai et pénétrai dans le vestibule spacieux pour tomber sur une bête grandeur nature et couverte d'écailles avec une corne qui saillait de son front. Je poussai un petit cri, mais l'animal était empaillé. En face de moi, il y avait un escalier en bois qui tournait à mi-hauteur et disparaissait dans les entrailles de la maison. Je décidai de commencer par le haut et de me frayer un chemin jusqu'en bas. Je m'attendais à ne rien trouver, mais, à moins que je ne fusse capable de décrire chaque pièce en détail à Villanelle, elle me ferait revenir de force. De cela, j'en étais certain.

La première pièce que je visitai ne contenait qu'un clavecin.

La deuxième comptait quinze croisées à carreaux teintés.

La troisième n'avait pas de fenêtres, et par terre, côte à côte, se trouvaient deux cercueils doublés de soie blanche, le couvercle ouvert.

La quatrième pièce était tapissée d'étagères du sol au plafond, et ces étagères étaient remplies de livres sur deux rangées. Il y avait une échelle.

Dans la cinquième pièce, une lampe était allumée et une grande carte du monde recouvrait tout un mur. Une carte avec des baleines dans les océans et des monstres abominables en train de dévaster les continents. Des routes étaient marquées qui semblaient disparaître dans la terre et, d'autres fois, s'arrêter brusquement au bord de la mer. Aux quatre coins, trônait un cormoran, un poisson coincé dans le bec.

La sixième pièce était un atelier de couture et une tapisserie aux trois quarts faite était tendue sur son cadre. Le motif représentait une jeune femme assise en tailleur devant un jeu de cartes. C'était Villanelle.

La septième pièce était un bureau ; la table de travail était jonchée de carnets couverts de pattes de mouche. Une écriture que je n'arrivais pas à lire.

La huitième pièce n'offrait qu'une table de billard et une petite porte sur le côté. J'étais attiré par cette porte et, quand je l'eus ouverte, je découvris un vaste vestiaire bourré de toutes sortes de robes sur cintres et qui embaumait le musc et l'encens. Un univers féminin. Ici, j'oubliais mon effroi. J'aurais voulu enfouir ma figure dans les étoffes et me coucher par terre, grisé par leur parfum. Je songeai à Villanelle et à ses cheveux sur mon visage, et me demandai si c'était ce qu'elle avait ressenti avec cette femme séduisante qui sentait si bon. Tout autour du local, il y avait des boîtes en bois d'ébène ornées d'un monogramme. J'en ouvris une et la trouvai remplie de petites fioles de verre, exhalant les arômes du plaisir et du danger. Chaque fiole contenait au plus cinq gouttes, ce qui me donna à penser que c'étaient des essences de valeur et d'une grande efficacité. Sans y penser, j'en glissai une dans ma poche et fis demi-tour pour sortir. Juste à ce moment-là, un bruit me figea sur place. Un bruit différent de celui des souris ou des scarabées. Un bruit continu, régulier, semblable à un battement de cœur. Mon propre cœur s'arrêta de battre et je me mis à écarter toilette après toilette, éparpillant chaussures et sous-vêtements dans ma précipitation. Je m'assis sur mes talons et écoutai de nouveau. C'était près du sol, invisible.

À quatre pattes, je rampai sous une des tringles de la penderie et dénichai un pot bleu enroulé dans une écharpe de soie. Le pot palpitait. Je n'osai pas l'ouvrir. Je n'osai pas contrôler son contenu fabuleux et inestimable Je l'emportai, encore dans son écharpe, et descendis les deux derniers étages avant de retrouver la nuit déserte.

Accroupie dans son bateau, Villanelle était occupée à scruter les flots. À peine m'entendit-elle qu'elle me tendit la main afin de m'aider à monter et sans poser de questions elle fit force de rames et nous entraîna loin sur la lagune. Quand elle s'arrêta enfin, sa transpiration luisant faiblement sous la lune, je lui tendis mon paquet.

Elle soupira et ses mains tremblèrent, puis elle m'ordonna de me tourner.

Je l'entendis déboucher le pot, ainsi qu'un bruit de gaz qui s'échappe. Après quoi elle commença à déglutir horriblement et à émettre des sons étranglés, et seule la peur me cloua à l'autre bout du bateau, peut-être celle de l'entendre mourir.

Le silence retomba. Elle m'effleura le dos et, quand je me retournai, saisit derechef ma main et la posa sur son sein.

Son cœur battait.

Impossible.

Je vous affirme que son cœur battait.

Elle me demanda la clé et, la fourrant avec l'écharpe dans le pot bleu, jeta le tout à l'eau et arbora un sourire si rayonnant que, tout n'eût-il été que folie, cela en aurait encore valu la peine. Elle me demanda ce que j'avais vu. Je lui décrivis chaque pièce et à chaque fois elle m'interrogeait sur une autre. À la fin, je lui parlai de la tapisserie. Son visage blêmit.

– Mais tu jures qu'elle n'était pas terminée ?

– Seulement aux trois quarts.

– Et c'était moi ? Tu es sûr ?

Pourquoi était-elle si bouleversée ? Parce que si la tapisserie avait été terminée et que l'inconnue y eût entrelacé son cœur, elle aurait été prisonnière à jamais.

– Je n'y entends rien, Villanelle.

– N'y pense plus, j'ai mon cœur, tu as ta merveille. Maintenant nous pouvons nous amuser.

Et elle dénoua sa chevelure et me ramena à la maison dans sa forêt rousse.

Je dormis mal, rêvant des paroles de la vieille : « Prenez garde aux anciens ennemis sous de nouveaux déguisements ». Mais au matin, lorsque la mère de Villanelle me réveilla avec des œufs et du café, la nuit passée et ses cauchemars semblèrent participer de la même imagination.

C'est la cité des fous.

Sa mère s'assit à côté de mon lit pour bavarder et m'adjura de demander la main de Villanelle dès qu'elle serait libre.

– J'ai fait un rêve cette nuit, dit-elle. Un rêve de mort. Fais ta demande, Henri.

Quand nous sortîmes ensemble cet après-midi-là, je la demandai en mariage, mais elle secoua la tête.

– Je ne peux pas te donner mon cœur.

– Je peux m'en passer.

– Peut-être bien, mais, moi, j'ai besoin de le donner. Tu es mon frère.

Quand je racontai à sa mère ce qui s'était passé, elle s'interrompit dans la cuisson de son pain.

– Tu es trop équilibré pour Villanelle, elle est attirée par les fous. Je lui ai dit et redit de se calmer, mais elle ne le fera jamais. Elle voudrait que ce soit tous les jours Pentecôte.

Puis elle marmonna quelque chose à propos de l'île funeste et se fit des reproches, mais je ne questionne jamais les Vénitiens quand ils marmonnent ; ce sont leurs affaires.

Je me pris à songer à partir pour la France et, bien que la pensée de ne plus la voir tous les jours me glaçât plus sûrement que n'importe quel hiver zéro, je me rappelai ses propres dires, les mots qu'elle avait prononcés quand Patrick, elle et moi nous reposions dans une hutte russe en buvant une méchante eau-de-vie…

Il n'y a pas de sens à aimer un être auprès de qui il vous est interdit de vous réveiller, sauf à l'occasion.

On dit que cette ville peut assimiler n'importe qui. Il semble en effet que chaque nationalité y soit en partie présente. Il y a des rêveurs, des poètes, des paysagistes au nez sale et des vagabonds comme moi qui ont échoué ici par hasard et ne sont jamais repartis. Tous ont beau être à la recherche de quelque chose, parcourir le monde et les sept mers, ils se cherchent une raison de rester. Moi, je ne cherche pas, j'ai trouvé ce que je veux et je ne peux pas l'avoir. Si je restais, ce ne serait pas par espoir mais par peur. Peur d'être seul, séparé d'une femme dont la seule présence donne au reste de ma vie la consistance de l'ombre.

Je dis que je suis amoureux d'elle. Qu'est-ce que cela signifie ?

Cela signifie que je revois mon avenir et mon passé à la lumière de ce sentiment. C'est comme si j'écrivais dans une langue étrangère que je serais soudain capable de lire. Sans un mot, Villanelle m'explique à moi-même. Comme tout génie, elle n'a pas conscience de ce qu'elle fait.

J'étais un mauvais soldat parce que je m'inquiétais trop des conséquences. Je ne pouvais jamais m'oublier dans la canonnade, dans le moment de combat et de haine. Mon imagination me devançait avec des images de champs de morts et de tout ce qui avait mis des années à pousser, détruit en une journée.

Je restai parce que je n'avais nulle part où aller.

Je ne veux pas refaire la même erreur.

Est-ce que tous les amants se sentent à la fois démunis et

valeureux en présence de la bien-aimée ? Démunis parce que le besoin de se rouler sur le dos comme un chien de compagnie n'est jamais bien loin. Valeureux parce qu'on sait que l'on égorgerait un dragon avec un couteau de poche s'il le fallait.

Quand je rêve d'un avenir entre ses bras, je ne vois pas de jours sombres à l'horizon, pas même un rhume de cerveau, et bien que je sache que c'est absurde, je crois vraiment que nous serions toujours heureux et que nos enfants changeraient le monde.

Je parle comme les soldats qui rêvent de leur foyer…

Non. À un moment donné elle disparaîtrait pendant plusieurs jours et je pleurerais. Elle oublierait que nous avons des enfants et les laisserait à ma charge. Elle jouerait notre maison au Casino, et si je l'emmenais vivre en France, elle en viendrait à me haïr.

Je sais tout cela et cela ne change rien.

Elle ne serait jamais fidèle.

Elle me rirait au nez.

J'aurais toujours peur de son corps à cause de son pouvoir.

Et en dépit de tout, quand je songe à partir, ma poitrine me pèse.

Béguin. Premières amours. Concupiscence.

Ma passion peut s'expliquer. Mais une chose est sûre : quoi qu'elle implique, c'est un révélateur.

Je pense beaucoup à son corps : non pas à le posséder, mais à le regarder s'agiter dans son sommeil. Elle n'est jamais immobile, qu'elle soit sur un bateau ou qu'elle coure à fond de train avec une brassée de choux. Elle n'est pas nerveuse ; pour elle, ce n'est pas naturel de rester immobile. La fois où je lui ai dit combien j'aimais me coucher dans l'herbe verte pour contempler le ciel bleu, elle m'a rétorqué :

– Tu auras tout le temps quand tu seras mort. Dis-leur de ne pas visser le couvercle de ton cercueil.

Mais elle connaît bien le ciel. De ma fenêtre, je la vois diriger sa barque très lentement, les yeux levés vers le bleu pur du firmament, dont elle guette la première étoile.

Elle décida de m'apprendre à ramer. Pas seulement à ramer. À ramer à la vénitienne. Nous partîmes au petit jour sur une gondole qui servait à la police. Je ne me risquai pas à lui demander comment elle se l'était procurée. Elle était si heureuse ces jours-ci et souvent elle prenait ma main pour la poser sur son cœur comme si elle était une malade qui recouvrait une seconde santé.

– Si tu es décidé à être berger, après tout le moins que je puisse faire, c'est de te renvoyer chez toi pourvu d'un nouveau talent. Tu pourras te construire un bâteau à tes moments perdus et descendre la rivière dont tu me parles tant en pensant à moi.

– Tu pourrais venir avec moi si tu voulais.

– Je ne veux pas. Qu'est-ce que je ferais avec un plein sac de taupes et pas l'ombre d'une table de jeu en vue ?

Je m'y attendais, mais j'avais horreur de le lui entendre dire.

Je n'étais pas doué pour les rames. Plus d'une fois je fis tanguer si fort notre embarcation que nous tombâmes tous deux à l'eau, et Villanelle se cramponna à mon cou en hurlant qu'elle allait se noyer.

– Tu vis sur l'eau, protestai-je quand elle m'eut entraîné sous la surface en poussant des cris d'orfraie.

– C'est vrai. Je vis dessus, pas dedans.

Curieusement, elle ne savait pas nager.

– Les bateliers n'ont pas besoin de savoir nager. Aucun batelier n'en arriverait là. Nous ne pouvons pas rentrer à la maison tant que nous ne sommes pas secs, on se moquerait de moi.

Tout son enthousiasme ne put m'aider à faire le moindre progrès. Le soir, elle m'arrachait les rames des mains et, les cheveux encore humides, m'informait que nous irions plutôt au Casino.

– Peut-être que tu y brilleras davantage.

C'était la première fois que je m'aventurais au Casino et je fus déçu comme le bordel m'avait déçu des années auparavant. Les lieux scabreux sont toujours tellement plus scabreux en imagination. Il n'y a pas de peluche aussi scandaleusement rouge que le rouge dont on rêve. Pas de femmes aux jambes aussi longues qu'on l'espère. Et la fantaisie veut que ces lieux soient toujours gratuits.

– Il y a une salle de fouet à l'étage, lança-t-elle, si cela t'intéresse.

Non. Cela m'ennuierait. Je connaissais le fouet. J'avais tout appris de mon ami le curé. Les saints adorent se faire fouetter et j'avais vu une pléthore d'images de leurs stigmates extatiques et de leurs regards languissants. Regarder une personne ordinaire se faire donner le fouet ne pouvait pas produire le même effet. La chair sainte est tendre et blanche, toujours cachée à la lumière. Lorsque le fouet la surprend, c'est un moment de jouissance, le moment où ce qui est caché est révélé.

Je la laissai faire et, une fois que j'eus vu ce qu'il y avait à voir de marbre froid, de verres glacés et de tapis vert lacéré, je me réfugiai dans l'alcôve d'une fenêtre et reposai ma vue sur le canal miroitant en dessous.

Ainsi le passé s'était-il enfui. J'en avais réchappé. De telles choses sont possibles.

Je repensais à mon village et au feu de joie que nous organisons à la fin de l'hiver afin de nous défaire des choses dont nous n'avons plus besoin et de célébrer le retour de la vie. Huit ans de service avaient fini dans le canal avec la barbe qui me seyait si peu. Huit ans de Bonaparte. Je distinguais mon reflet dans la vitre ; voilà le visage que j'avais pris. Au-delà de mon reflet, j'aperçus Villanelle adossée au mur avec un homme planté devant elle qui lui barrait le passage. Elle lui tenait tête, mais au haussement de ses épaules, je vis qu'elle avait peur.

Il était énorme, une grande masse noire pareille à la cape d'un matador.

Il se tenait les pieds écartés, un bras appuyé contre le mur pour l'empêcher de passer, l'autre arrimé à sa poche. Elle le bouscula, d'un geste prompt et soudain, et tout aussi promptement sa main à lui sortit de sa poche et la souffleta. J'entendis le claquement. Comme je bondissais, elle plongea sous son bras et, passant devant moi, se précipita dans l'escalier. Je pensai à une seule chose, la rattraper avant lui, mais il s'était déjà lancé à sa poursuite. J'ouvris la fenêtre et sautai dans le canal.

En crachotant, je regagnai la surface sous un masque d'algues et nageai vers notre bateau, dont je détachai l'amarre, de sorte que, lorsqu'elle sauta dedans comme un chat, je lui criai de ramer tout en jouant des pieds et des mains pour tenter de grimper à bord. Elle m'ignora et prit les rames, et je fus tiré derrière comme le dauphin apprivoisé que possède un homme du Rialto.

– C'est lui, dit-elle, comme je finis par m'écrouler à ses pieds. Moi qui le croyais loin. Mes espions sont fameux !

– Ton mari ?

Elle cracha :

– Mon gros salaud de mari, oui.

Je m'assis.

– Il nous suit.

– Je connais un chemin ; je suis la fille d'un batelier.

J'eus le vertige, tant elle décrivit de tours et de détours, et à toute vitesse. Les muscles de ses bras saillaient, menaçant de déchirer sa peau, et quand nous passâmes devant un fanal, je vis l'affleurement de ses veines. Elle était hors d'haleine, son corps fut bientôt aussi trempé que le mien. Nous remontions une étendue d'eau qui se rétrécissait de plus en plus pour déboucher sur un mur blanc et aveugle. À la dernière seconde, alors que je m'attendais à entendre notre esquif se briser comme une bille de bois, Villanelle vira brutalement de bord et nous propulsa dans un goulet qui se prolongeait par un tunnel suintant.

– On arrive à la maison, Henri, un peu de patience.

C'était la première fois que je l'entendais prononcer le mot patience.

Nous nous arrêtâmes à la grille mais, au moment où nous nous préparions à amarrer le bateau, une proue silencieuse se profila derrière nous et je reconnus le visage du cuisinier.

Le cuisinier.

La chair autour de sa bouche frémit en un semblant de sourire. Il était beaucoup plus fort que du temps où je l'avais connu, avec des bajoues qui pendaient comme des taupes mortes et un double menton grassouillet qui rattachait sa tête à ses épaules. Ses yeux s'étaient enfoncés et ses sourcils, toujours épais, me firent alors l'effet de deux sentinelles. Il croisa ses mains sur le bord du bateau, des mains avec des bagues enfoncées sur les articulations. Des mains rouges.

– Henri, dit-il. Quel plaisir !

Le regard interrogateur de Villanelle à mon adresse le disputait à un autre de pur dégoût, fixé sur lui. Il vit son trouble et, l'effleurant légèrement, ce qui la fit tressaillir, déclara :

– On peut dire qu'Henri m'a porté chance. Grâce à lui et à ses petites manigances, j'ai été chassé de Boulogne tambour battant et envoyé à Paris afin de m'occuper des Magasins. Je n'ai jamais été du genre à m'occuper de choses qui ne m'apportent rien. Henri, cela ne te fait-il pas plaisir de retrouver un vieil ami et de le voir si prospère ?

– Je ne veux rien avoir à faire avec vous, répliquai-je.

Derechef, il sourit et je vis ses dents cette fois. Ce qu'il en restait.

– Mais visiblement, tu veux bien avoir à faire avec ma femme. Ma femme, et d'articuler ces deux mots très lentement. (Puis il afficha une vieille expression que je lui connaissais bien.) Je suis surpris de te rencontrer ici, Henri. Ne devrais-tu pas être avec ton régiment ? Ce n'est pas le moment de prendre des vacances, même pour un favori de Bonaparte.

– Cela ne vous regarde pas.

– Certes non, mais tu ne m'en voudras pas si je cite ton nom auprès de quelques-uns de mes amis, n'est-ce pas ?

Il se tourna face à Villanelle.

– J'ai d'autres amis qui seront contents d'avoir de vos nouvelles. Des amis qui ont déboursé beaucoup d'argent pour vous connaître. Ce sera plus facile si vous venez avec moi maintenant.

Elle lui cracha au visage.

Ce qu'il advint ensuite ne m'est toujours pas clair même si j'ai eu des années pour y réfléchir. Des années paisibles sans aucune distraction. Je me souviens qu'il s'est penché en avant quand elle a craché et qu'il a essayé de l'embrasser. Je me souviens de sa bouche qui s'ouvrait et s'approchait d'elle, de ses mains qu'il avait enlevées du bord du bateau, de son corps penché. Sa main lui frôla le sein. Sa bouche. Sa bouche est l'image la plus nette que j'en garde. Une bouche rose pâle, une caverne de chair, et puis sa langue, à peine visible comme un ver qui sort de son trou. Elle le repoussa ; il perdit l'équilibre entre les deux embarcations et s'affala sur moi, manquant de m'écraser. Il porta ses mains à ma gorge et j'entendis Villanelle qui hurlait et lançait son poignard vers moi, à ma portée. Une lame vénitienne, effilée et cruelle.

– Du côté le plus tendre, Henri. Comme pour les oursins.

Je tenais le poignard dans ma main et je l'en frappai au côté. Comme il roulait sur lui-même, je le lui plongeai dans la panse. J'entendis le bruit de succion de ses entrailles. Je dégageai mon poignard, qui refusait de se laisser ainsi arracher, et le laissai de nouveau s'enfoncer, à travers des strates de ribote. Cette chair nourrie d'oie et de vin rouge ne tarda pas à s'affaisser. Ma chemise était imbibée de sang. Villanelle tira le corps un peu à l'écart, et je me relevai, sans perdre le moins du monde l'équilibre. Je lui dis de m'aider à le retourner et elle s'exécuta, sans cesser de m'observer.

Quand nous l'eûmes mis le ventre en l'air, ruisselant de sang, je déchirai sa chemise du col jusqu'en bas et inspectai sa poitrine. Glabre et blanche, comme la chair des saints. Est-ce que les saints et les démons peuvent se ressembler autant ? Ses mamelons étaient du même coloris que ses lèvres.

– Tu disais qu'il n'avait pas de cœur, Villanelle. On va voir.

Elle tendit la main, mais j'avais déjà fait une entaille avec mon amie d'argent, une lame si ardente. Je découpai un triangle à peu près au bon endroit et détachai le morceau à la main, comme si j'évidais une pomme.

Il avait un cœur.

– En veux-tu, Villanelle ?

Elle fit non de la tête et éclata en pleurs. Je ne l'avais jamais vue pleurer, ni pendant l'hiver zéro, ni à la mort de notre ami, pas plus en proie à l'humiliation qu'au souvenir de cette dernière. Elle pleurait maintenant et je la pris dans mes bras, laissant choir le cœur entre nous, et lui racontai l'histoire d'une princesse dont les larmes se transformaient en pierres précieuses.

– J'ai sali tes vêtements, dis-je en voyant pour la première fois les taches de sang sur elle. Regarde mes mains.

Elle hocha la tête, et cette chose bleue et sanglante gisait entre nous.

– Il faut nous débarrasser de ces bateaux, Henri.

Mais, dans la lutte, nous avions perdu nos deux rames, ainsi qu'une des siennes. Elle prit ma tête dans ses mains et la soupesa, me tint serré sous le menton.

– Reste assis, tu as fait ce que tu as pu, maintenant laisse-moi faire.

Je m'assis, la tête sur les genoux, les yeux rivés sur le fond de la barque qui était noyé de sang. Mes pieds nageaient dans le sang.

Le cuisinier, face au ciel, avait les yeux rivés sur Dieu.

Nos bateaux s'ébranlèrent. Je vis son bateau glisser en tête, le nôtre accroché au sien à la manière dont les enfants accrochent leurs bateaux les uns aux autres sur un bassin.

Nous avancions. Comment ?

Je levai le nez, les genoux toujours remontés, et vis Villanelle qui, le dos tourné vers moi, un cordage sur l'épaule, marchait sur le canal et remorquait nos barques.

Ses bottes étaient soigneusement posées côte à côte. Elle avait les cheveux défaits.

J'étais dans la forêt rousse et elle me ramenait à la maison.

Quatre

Le rocher

On dit que les morts ne parlent pas. Silencieux comme la tombe, dit-on. Ce n'est pas vrai. Les morts parlent tout le temps. Sur ce rocher, quand le vent se lève, je les entends.

J'entends Bonaparte ; il n'a pas tenu longtemps sur son rocher. Il a pris du poids et attrapé froid, et lui qui avait survécu aux plaies d'Égypte et à l'hiver zéro, il a succombé à l'humidité.

Les Russes ont envahi Paris et nous n'avons pas allumé d'incendie, nous avons capitulé et ils l'emmenèrent et restaurèrent la monarchie.

Son cœur chantait. Sur une île battue par les vents, face aux mouettes, son cœur chantait. Il attendit son heure et son heure vint, et, à l'instar du troisième fils qui sait que ses frères perfides ne déjoueront pas ses plans, en un convoi saumâtre de bateaux silencieux il revint pour ses Cent-Jours et connut son Waterloo.

Que pouvaient-ils faire de lui ? Ces généraux victorieux et ces nations pharisiennes ?

On joue, on gagne, on joue, on perd. On joue.

La fin de toute partie est une retombée. Ce que l'on croyait ressentir, on ne le ressent pas, ce qu'on croyait si important ne l'est plus. C'est le jeu qui est excitant.

Et si l'on gagne ?

Il n'y a pas de limites à la victoire. On doit protéger ce que l'on a gagné. On doit le prendre au sérieux.

Les vainqueurs perdent quand ils sont las de gagner. Peut-être qu'ils le regrettent plus tard, mais la tentation de jouer la chose fabuleuse et inestimable est trop forte. La tentation de se montrer de nouveau aventureux, de redevenir un va-nu-pieds comme autrefois, avant que l'on n'héritât de toutes ces chaussures.

Il ne dormait jamais, il avait un ulcère, il avait divorcé de Joséphine pour épouser une garce égoïste (bien qu'il la méritât), il avait besoin d'une dynastie afin de protéger son Empire. Il n'avait pas d'amis. Le plaisir des sens lui prenait environ trois minutes et, plus cela allait, moins il prenait la peine de dégrafer son sabre. L'Europe l'exécrait. Les Français étaient fatigués de faire la guerre encore et toujours.

C'était l'homme le plus puissant du monde.

Quand il quitta son île, la première fois il se sentit de nouveau un jeune homme. Un héros n'ayant rien à perdre. Un sauveur muni d'une tenue de rechange.

Lorsqu'ils abattirent leur jeu une seconde fois et lui réservèrent un rocher plus sinistre où les marées étaient rudes et la compagnie inexistante, c'était comme de l'enterrer vivant.

La Troisième Coalition. Les forces de la modération contre ce fou.

Je le haïssais, mais les autres ne valaient guère mieux. Les morts sont morts, de quelque côté qu'ils soient.

Trois fous contre un fou. Le nombre l'emporte. Pas le droit.

Quand le vent se lève, je l'entends pleurer et il vient à moi, les mains encore graisseuses de son dernier dîner, et me demande si je l'aime. Son visage me supplie de dire oui et je pense à ceux qui sont partis en exil avec lui et qui, l'un après l'autre, ont pris un petit bateau pour rentrer.

Ils rapportaient des carnets pour la plupart. L'histoire de sa vie, ses impressions depuis son rocher. Ils allaient faire fortune en exhibant cette bête blessée.

Jusqu'à ses serviteurs qui apprirent à écrire.

Obsédé par son passé, il ne cesse d'en parler parce que les morts n'ont pas d'avenir et que leur présent n'est que mémoire. Ils sont dans l'éternité puisque le temps s'est arrêté pour eux.

Joséphine vit toujours et vient d'introduire récemment le géranium en France. J'ai porté ce fait à son attention, mais il m'a dit qu'il n'avait jamais aimé les fleurs.

Ma chambre ici est très petite. Si je m'étends de tout mon long, ce que j'essaie de ne pas faire pour des raisons que je vous expliquerai, je parviens à toucher les quatre coins rien qu'en m'étirant. Toutefois, j'ai une fenêtre et, à la différence de la plupart des autres fenêtres d'ici, elle est dépourvue de barreaux. Elle est tout ce qu'il y a de plus ouvert. Elle n'a pas de vitre. Je peux m'y pencher pour contempler la lagune et quelquefois j'aperçois Villanelle dans sa barque.

Elle me fait des signes avec son mouchoir.

En hiver, j'ai une lourde tenture faite de toile de sac que je plie en deux devant la fenêtre et fixe au sol avec ma commode. Cela marche assez bien pourvu que je garde ma couverture sur moi, bien que je souffre du catarrhe. Voilà la preuve que je suis un Vénitien aujourd'hui. Il y a de la paille par terre, comme chez nous, et certains jours quand je me réveille, je sens l'odeur de la bouillie qui cuit, bien épaisse sous sa croûte noire. J'aime ces jours-là parce qu'ils signifient que mère est ici. Elle paraît toujours la même, peut-être un peu plus jeune. Elle boite du côté où le cheval lui est tombé dessus, mais elle n'a pas à marcher bien loin dans ce galetas.

Nous avons du pain sec pour petit-déjeuner.

S'il n'y a pas de lit, il y a deux gros oreillers qui étaient également garnis de paille. Au fil des ans, je les ai bourrés de plumes de mouette et je dors assis sur un, l'autre coincé dans mon dos, contre le mur. C'est confortable, et dans cette position il ne peut pas m'étrangler.

Au début de mon séjour en ce lieu – j'ai oublié le nombre d'années que j'ai passées ici – il essayait de m'étrangler toutes les nuits. Je me couchais dans ma chambrée et je sentais ses mains sur ma gorge et sa respiration qui empestait le vomi, je voyais sa bouche charnue et rose, d'un incarnat obscène, s'approcher pour m'embrasser.

Au bout d'un temps, ils m'installèrent dans une chambre particulière. J'indisposais les autres.

Il y a un autre homme qui bénéficie également d'une chambre particulière. Il est ici depuis presque toujours et s'est échappé plusieurs fois. Ils le ramènent à moitié noyé, il croit qu'il peut marcher sur l'eau. Il a de l'argent, aussi son logement est-il très confortable. Moi aussi, je pourrais avoir de l'argent, mais je me refuse à la dépouiller.

Nous avons caché les barques dans un passage puant réservé aux chalands à ordures, et Villanelle a remis ses bottes. C'est la seule fois où j'ai vu ses pieds, que je n'appellerais pas vraiment des pieds. Elle les déplie comme un éventail et les replie de la même façon. J'eus envie d'y toucher, mais mes mains étaient couvertes de sang. Lui, nous l'avons laissé là où il était, face au ciel, son cœur à ses côtés, et Villanelle m'a enlacé en marchant, à la fois pour me consoler et pour masquer le sang sur mes habits. Quand nous croisions un passant, elle me poussait contre le mur et m'embrassait passionnément, soustrayant mon corps aux regards. De cette manière nous avons fait l'amour.

Elle raconta à ses parents tout ce qui s'était passé et, à eux trois, ils firent chauffer de l'eau, me lavèrent et brûlèrent mes effets.

– J'avais vu la mort en rêve, rappela sa mère.

– Chut, fit son père.

Ils m'enveloppèrent dans une peau de mouton et me firent coucher devant le poêle sur le matelas d'un de ses frères, et je dormis du sommeil du juste, sans me douter que Villanelle me veillait silencieusement toute la nuit. Comme dans un rêve, je les entendis dire :

– Qu'allons-nous faire ?

– La police va venir ici. Je suis sa veuve. Restez en dehors de cette affaire.

– Et Henri ? Il est français même s'il n'est pas coupable.

– Je prendrai soin d'Henri.

Et en entendant ces mots je m'endormis profondément.

Je pense que nous savions que nous nous ferions prendre.

Nous passâmes les quelques jours qui suivirent à nous gaver de menus plaisirs. Chaque matin, nous partions de bonne heure et faisions la noce dans les églises. C'est-à-dire que Villanelle se prélassait dans l'atmosphère et la liturgie divine sans accorder une seule pensée à Dieu et que je restais assis sur les marches à jouer au morpion.

Nous passions nos mains sur la moindre surface chauffée par le soleil et nous imprégnions de la chaleur du fer, du bois et de la fourrure de millions de chats.

Nous mangions du poisson pêché de frais. Elle me fit faire le tour de l'île sur un bateau d'apparat emprunté à un évêque.

Le deuxième soir, une pluie d'été diluvienne inonda la place Saint-Marc, et nous nous tînmes en bordure à observer un couple de Vénitiens qui se frayaient un chemin à l'aide de deux chaises.

– Monte sur mon dos, dis-je.

Elle me regarda avec incrédulité.

– Je ne sais pas marcher sur l'eau, mais je sais patauger, et j'ôtai mes chaussures que je lui donnai à porter pendant que nous traversâmes lentement et avec quelques faux pas cette immense place.

Ses jambes étaient si longues qu'elle devait sans cesse les remonter pour empêcher ses pieds de traîner dans l'eau. Quand nous parvînmes de l'autre côté, j'étais épuisé.

– Voici le garçon qui est revenu à pied de Moscou, railla-t-elle.

Bras dessus bras dessous, nous partîmes à la recherche d'un endroit où souper, et après souper elle me montra comment on mange un artichaut.

Plaisir et danger. Le plaisir est doux au milieu du danger. C'est le sens de la perte du joueur qui fait du gain un acte d'amour. Le cinquième jour, comme nos cœurs avaient quasiment cessé de cogner dans nos poitrines, nous étions quasi insouciants au moment du coucher du soleil. La migraine sourde dont je souffrais depuis que je l'avais tué s'était évanouie.

Et le sixième jour, ils vinrent nous chercher.

Ils vinrent tôt, à l'heure où les barques maraîchères se mettent en route pour le marché. Ils vinrent sans prévenir. À trois, sur un bateau d'un noir luisant qui arborait un drapeau. À seule fin d'interrogatoire, disaient-ils, rien de plus. Est-ce que Villanelle savait que son mari était mort ? Que s'était-il passé après qu'elle et moi nous eûmes quitté le Casino si précipitamment ?

Nous avait-il suivis ? L'avions-nous vu ?

Il semblait que Villanelle, en tant qu'épouse légitime incontestée, se retrouvait à présent en possession d'une fortune considérable, à condition, naturellement, qu'elle ne fût pas meurtrière. Elle avait des papiers à signer concernant ses biens et on l'emmena identifier le corps. Je fus avisé de ne pas quitter la maison, et afin de s'assurer que je prenais cet avis au sérieux, un homme resta en faction à la grille, la tête en plein soleil.

Je regrettai de ne pas être dans l'herbe verte en train de regarder le ciel bleu.

Elle ne revint pas cette nuit-là ni la nuit d'après et l'homme attendit à la grille. Quand elle rentra à la maison le troisième jour au matin, elle était accompagnée des deux autres hommes et ses yeux me lancèrent des avertissements, mais elle ne pouvait pas parler et je fus donc emmené en silence. L'avocat du cuisinier, un bonhomme voûté aux airs rusés avec une verrue sur la joue et de belles mains, me dit tout uniment qu'il croyait Villanelle coupable et que j'étais son complice. Accepterais-je de signer une déposition en ce sens ? Si j'acceptais, il pourrait probablement regarder ailleurs le temps que je disparaisse.

– Nous manquons de subtilité, nous autres Vénitiens, déclara-t-il.

Et qu'adviendrait-il de Villanelle ?

Les clauses du testament du cuisinier étaient surprenantes ; il n'avait pas tenté de spolier son épouse de ses droits, ni de distribuer sa fortune à un tiers. Il avait simplement établi que, si son épouse ne pouvait être héritière pour quelque raison que ce fût (absence comprise), il léguait ses biens dans leur intégralité à l'Église.

Étant donné qu'il ne devait pas s'attendre à la revoir, pourquoi avoir choisi l'Église ? Y avait-il jamais mis les pieds ? Ma surprise devait être visible, car l'avocat me dit avec candeur que le cuisinier aimait admirer les enfants de chœur dans leurs chasubles rouges. Si il montra un soupçon de sourire, un soupçon d'autre chose qu'une reconnaissance d'un penchant religieux, il le cacha immédiatement.

En quoi cela le concernait-il ? m'interrogeai-je. Pourquoi s'inquiétait-il de savoir qui aurait l'argent ? Il avait l'air d'un homme sans scrupule. Pour la première fois de ma vie, je compris que j'étais le maître du jeu. C'était moi qui détenais la carte volante.

– Je l'ai tué, dis-je. Je l'ai poignardé et je lui ai arraché le cœur. Dois-je vous montrer la figure que j'ai découpée dans sa poitrine ?

Je la dessinai sur la vitre poussiéreuse. Un triangle de forme grossière.

– Son cœur était bleu. Saviez-vous que les cœurs sont bleus ? Pas du tout rouges. Une pierre bleue dans une forêt rouge.

– Vous êtes fou, dit l'avocat. Aucun homme dans son bon sens ne tuerait comme cela.

– Aucun homme dans son bon sens ne vivrait comme il le faisait.

Il y eut un silence. J'entendais sa respiration, aussi râpeuse que du papier de verre. Il étendit ses mains sur la déposition qui n'attendait que ma signature. De belles mains manucurées, plus blanches que le papier sur lequel elles reposaient. D'où les tenait-il ? Elles ne pouvaient pas lui appartenir de droit.

– Si vous me dites la vérité…

– Faites-moi confiance.

– Alors vous devez m'attendre ici jusqu'à ce que tout soit prêt.

Il se leva et verrouilla la porte derrière lui, m'abandonnant dans son confortable repaire qui embaumait le tabac et le cuir, avec un buste de César sur la table et un cœur informe sur le carreau de la fenêtre.

Dans la soirée, Villanelle me rendit visite. Elle vint seule parce qu'elle profitait déjà du pouvoir de son héritage. Elle apporta un cruchon de vin, une miche de pain de la boulangerie et une corbeille de sardines crues. Nous nous assîmes par terre, comme des enfants que leur oncle a laissés par mégarde dans son bureau.

– Sais-tu bien ce que tu fais ? s'enquit-elle.

– J'ai dit la vérité, c'est tout.

– Henri, j'ignore ce qui va suivre. Piero, l'avocat, pense que tu es fou et proposera que tu sois jugé comme tel. Je ne peux pas l'acheter. C'était un ami de mon mari. Il me croit toujours coupable, et toutes les chevelures rousses du monde et tout l'argent que je possède ne l'empêcheront pas de te faire du mal. Il aime la haine pour la haine. Il y a des gens comme ça. Des gens qui ont tout. L'argent, le pouvoir, le sexe. Ils se choisissent ensuite des enjeux plus recherchés que le commun des mortels. Cet homme est rétif à l'émotion. Il ne sera jamais transporté par un lever de soleil. Jamais il ne se perdra dans une ville inconnue et ne sera contraint de demander son chemin. Je ne peux pas le soudoyer. Je ne peux pas le séduire. Il veut une vie pour une vie. La mienne ou la tienne. Laisse-moi prendre ta place.

– Ce n'est pas toi qui l'as tué, c'est moi. Je ne regrette rien.

– Je l'aurais fait ; d'ailleurs, peu importe le propriétaire du couteau ou de la main. Tu l'as tué par amour pour moi.

– Non, je l'ai tué pour moi. Il salissait tout ce qui est beau.

Elle prit mes mains. Nous empestions tous les deux le poisson.

– Henri, si tu on te juge irresponsable de tes actes, ils te pendront ou t'enverront à San Servelo[1]. L'asile de fous sur l'île.

– Celle que tu m'as montrée ? Celle qui donne sur la lagune et qui accroche la lumière ?

Elle hocha la tête et je me demandai quel effet cela ferait de vivre de nouveau dans un endroit fixe.

– Qu'est-ce que tu vas faire, Villanelle ?

– Avec l'argent ? M'acheter une maison. J'ai suffisamment voyagé. Trouver un moyen de te rendre ta liberté. Si tu choisis de vivre.

– Serai-je en mesure de choisir ?

– J'ai les moyens de te le permettre. Cela ne dépend pas de Piero, cela dépend du juge.

Il faisait sombre. Elle alluma les bougies et me cala contre son corps. Je posai ma tête sur son cœur, que j'entendis battre, on ne peut plus régulier, comme s'il avait toujours été là. Je

1. De son vrai nom San Servolo, l'île, occupée par un hôpital militaire dès 1715, accueillit son premier malade mental en 1725. De 1805 à 1814, les Français y enfermèrent des soldats de l'Empire.

ne m'étais jamais tenu ainsi avec personne, sauf avec ma mère. Ma mère qui me serrait contre son sein en me chuchotant les Écritures à l'oreille. Elle espérait que je les apprendrais de cette manière, mais je n'entendais rien, hormis le crépitement du feu et la vapeur qui s'échappait de l'eau qu'elle faisait chauffer pour la toilette de mon père. Je n'entendais rien sauf son cœur et ne sentais rien sauf sa douceur.

– Je t'aime, disais-je de temps à autre.

Nous regardâmes les bougies projeter des ombres de plus en plus larges au plafond à mesure que le ciel devenait complètement obscur. Piero avait un palmier dans son bureau (rapporté de quelque exil prudent, sans aucun doute), et ce dernier dessinait une jungle au plafond, un enchevêtrement de grandes feuilles qui pouvaient facilement cacher un tigre. Sur le bureau, César jouait de son profil et mon triangle demeurait invisible. La pièce sentait le poisson et la cire de bougie. Nous étions étendus par terre depuis un bon moment et je dis :

– Tu vois ? Maintenant tu comprends pourquoi j'aime rester immobile à regarder le ciel.

– Moi je reste immobile seulement quand je suis malheureuse. Je n'ose pas bouger parce que le mouvement risque d'avancer le jour suivant. Je m'imagine que si je suis complètement immobile, ce que je redoute ne se produira pas.

La dernière nuit où j'ai dormi auprès d'elle, la neuvième, je me suis efforcée de ne pas bouger pendant qu'elle dormait. J'ai entendu dire que dans les déserts glacés du Grand Nord les nuits durent six mois, et j'espérais qu'un miracle ordinaire nous y emporterait. Est-ce que le temps continuerait de filer si je refusais de le laisser faire ?

Nous n'avons pas fait l'amour cette nuit-là. Nos corps nous pesaient trop.

Je fus jugé le lendemain et tout se passa comme Villanelle l'avait prédit. Je fus déclaré fou et condamné à la détention à vie à San Servelo. Je devais m'en aller dans l'après-midi. Piero eut l'air déçu, mais ni Villanelle ni moi nous ne lui accordâmes un regard.

– Je pourrai te rendre visite dans une semaine environ, mais je vais agir en ta faveur, je te sortirai d'ici. Tout le monde peut se faire acheter. Courage, Henri. Nous sommes revenus à pied de Moscou. Nous pouvons bien marcher sur l'eau.

– Toi, tu peux.

– Nous le pouvons.

Elle m'étreignit et me promit d'être sur la lagune avant que le sinistre bateau ne mît à la voile. J'avais peu d'effets personnels, mais je voulais le talisman de Domino et une image de la Madone que la mère de Villanelle avait brodée pour moi.

San Servelo. C'était un établissement réservé aux fous ayant de la fortune, mais Bonaparte, qui croyait à l'égalité au moins pour ce qui était de l'aliénation mentale, l'ouvrit au public et mit des fonds de côté pour son entretien. Des restes d'une ancienne splendeur subsistaient à l'intérieur. Les fous fortunés aimaient leurs aises. Il y avait un parloir spacieux où une dame pouvait prendre le thé cependant que son fils était assis de l'autre côté de la table en camisole de force. Autrefois, les gardiens avaient porté l'uniforme et des bottes luisantes, et tout pensionnaire qui bavait sur ces bottes était isolé durant une semaine. Peu de pensionnaires se laissaient aller à baver. Il y avait un jardin que plus personne ne cultivait. Un arpent broussailleux de rocaille et de fleurs flétries. Il y avait désormais deux ailes de bâtiments. L'une pour les riches qui restaient et l'autre pour les fous d'origine pauvre, de plus en plus nombreux. Villanelle avait donné des instructions pour que je sois placé dans la première, mais je découvris ce que cela coûtait et refusai net.

De toute façon, je préfère la compagnie des gens humbles.

En Angleterre, ils ont bien un roi fou que personne ne songe à enfermer.

George III qui s'adresse à la Chambre haute en disant : « Mes pairs et paons ».

Qui peut comprendre les Anglais avec leur raifort ?

Je n'avais pas peur de me trouver en si étrange compagnie.

Je n'ai commencé à avoir peur que lorsque les voix se sont manifestées, et, après les voix, les morts en personne, qui arpentaient les couloirs et m'observaient de leurs yeux creux.

Les premières fois où vint Villanelle, nous avons discuté de Venise et de la vie, et elle était pleine d'espoir pour moi. Puis je lui ai parlé des voix et des mains du cuisinier sur ma gorge.

– C'est le fruit de ton imagination, Henri, tiens bon, tu seras bientôt libre. Tes voix n'existent pas, non plus que tes ombres.

Mais elles existent. Sous cette pierre, sur le rebord de la fenêtre. Les voix existent et elles doivent se faire entendre.

Quand Henri fut conduit à San Servelo, je me disposai aussitôt à obtenir sa libération. Je voulus savoir sur quel fondement les fous sont gardés là-bas et s'ils sont examinés par un docteur pour voir si leur état s'améliore. Il semble que ce soit le cas, mais seuls ceux qui ne représentent aucun danger pour l'humanité peuvent être libérés. Absurde, quand il y a tant de dangers publics qui vont et viennent librement sans autre examen. Henri était interné à vie. Il n'y avait aucun moyen légal de le faire libérer, du moins aussi longtemps que Piero pouvait user de son influence.

Eh bien alors, il faudrait que je l'aide à s'évader et que j'assure son passage en France.

Pendant les premiers mois où je lui rendis visite, il semblait gai et confiant, malgré le fait qu'il partageât une chambre avec trois autres pensionnaires d'aspect effroyable et aux manies terrifiantes. Il prétendait ne s'apercevoir de rien. Il disait qu'il avait ses carnets et beaucoup à faire. Peut-être y eut-il des signes de son changement beaucoup plus tôt que je ne voulus le reconnaître, mais ma vie avait pris un tour inattendu et j'étais préoccupée.

Je ne sais pas quelle lubie m'a poussée à prendre une maison en face de chez elle. Une maison à six étages comme la sienne, avec de grandes fenêtres qui laissaient entrer la lumière et retenaient des flaques de soleil. Je déambulais dans mes appartements, sans même prendre la peine de les meubler, épiant son grand salon, son petit salon, son atelier de couture et à défaut de la voir, j'apercevais une tapisserie qui me représentait quand j'étais plus jeune et que je marchais avec l'arrogance d'un garçon.

Je battais un tapis sur mon balcon quand enfin je la vis.

Elle me vit aussi et nous nous tînmes immobiles comme des statues, chacune à notre balcon. Je laissai choir mon tapis dans le canal.

– Nous voilà donc voisines, dit-elle. Tu devrais me rendre

visite. (Et il fut donc entendu que je lui rendrais visite le soir même avant souper.)

Plus de huit ans s'étaient écoulés, mais quand je frappai à sa porte, je n'avais pas le sentiment d'être une héritière qui était revenue à pied de Moscou et dont le mari venait d'être assassiné sous ses yeux. J'avais le sentiment d'être une fille du Casino sous un uniforme d'emprunt. Instinctivement, je portai ma main à mon cœur.

– Tu es devenue grande, dit-elle.

Elle était la même, bien qu'elle laissât du gris transparaître dans sa chevelure, un attrait dont elle avait été particulièrement fière quand j'avais fait sa connaissance. Nous dînâmes autour de la table ovale et elle nous plaça de nouveau côte à côte avec la bouteille entre nous. Ce n'était pas facile de parler. Ce ne l'avait jamais été, nous étions trop occupées à faire l'amour ou à trembler à l'idée que l'on nous entendît. Pourquoi m'étais-je imaginé que les choses seraient différentes uniquement parce que le temps avait passé ?

Où était son mari ce soir ?

Il l'avait quittée.

Non pas pour une autre femme. Il ne voyait pas les autres femmes. Il l'avait laissée depuis peu de temps pour partir à la recherche du Saint-Graal. Il croyait à l'exactitude de sa carte. Il croyait à la réalité du trésor.

– Est-ce qu'il va revenir ?

– Peut-être que oui, peut-être que non.

La carte volante. L'imprévisible carte volante qui ne sort jamais quand il faudrait. Fût-elle sortie plus tôt, des années plus tôt, que serait-il advenu de moi ? Je scrutai mes paumes de mains dans l'espoir d'y lire l'autre vie, la vie parallèle. Le point où mes différentes facettes se séparaient et où l'une épousait un gros homme tandis que l'autre restait ici, dans cette élégante demeure pour dîner soir après soir à une table ovale.

Est-ce là ce qui explique que nous pouvons rencontrer une personne que nous ne connaissons pas et avoir l'impression de l'avoir toujours connue ? Que ses habitudes n'auront rien pour nous surprendre ? Peut-être que nos vies se déploient autour de nous comme les branches d'un éventail et que nous ne pouvons en connaître qu'une, sauf à en deviner d'autres par inadvertance.

Quand je l'ai connue, j'ai eu le sentiment qu'elle incarnait ma destinée, et ce sentiment n'a pas changé, même s'il demeure souterrain. Bien que j'eusse parcouru le vaste monde et conçu de nouvelles amours, je ne peux pas vraiment dire que je l'ai jamais quittée. Parfois, en buvant du café avec des amis ou au cours de mes promenades solitaires au bord de la mer trop salée, je me suis surprise dans cette autre vie, je l'ai touchée du doigt, j'ai vu qu'elle était aussi réelle que la mienne. Et si elle avait vécu seule dans cette demeure élégante la première fois où je la rencontrai ? Peut-être n'aurais-je jamais soupçonné l'existence d'autres vies, n'en ayant pas besoin.

– Veux-tu rester ? s'enquit-elle.

Non, pas dans cette vie. Pas maintenant. La passion ne se commande pas. Ce n'est pas un génie qui nous accorde trois souhaits quand nous lui lâchons la bride. C'est elle qui nous commande et très rarement dans la voie de notre choix.

J'étais furieuse. Quel que soit l'être dont vous tombez amoureux pour la première fois, pas seulement que vous aimez bien mais dont vous êtes amoureux, c'est celui qui provoque toujours votre fureur, celui qui vous fait perdre la raison. Il se peut que vous soyez établi ailleurs, il se peut que vous soyez heureux, mais l'être qui a ravi votre cœur détient le pouvoir suprême.

J'étais furieuse parce qu'elle m'avait voulue, qu'elle avait tout fait pour que je la voulusse à mon tour et qu'elle avait eu peur d'accepter ce que cela impliquait ; cela impliquait davantage que des rendez-vous fugitifs dans des lieux publics et des nuits volées à un autre. La passion se mettra en campagne pendant sept ans pour le ou la bien-aimée et, si elle se laisse abuser, elle repartira encore sept ans, mais la passion, parce qu'elle est d'essence noble, ne peut accepter longtemps les restes d'un tiers.

J'avais eu des aventures. J'en aurai d'autres. La passion est l'apanage des entêtés.

Elle répéta :

– Veux-tu rester ?

Lorsque la passion survient pour la première fois tard dans l'existence, il est plus difficile d'y renoncer. Et ceux qui affrontent ce monstre sur le tard se voient réduits à des choix démoniaques. Diront-ils adieu à ce qu'ils connaissent et mettront-ils les voiles sur un océan inconnu sans être sûrs de toucher de nouveau terre ? Renieront-ils ces choses quotidiennes qui ont rendu la vie supportable et bafoueront-ils les sentiments de vieux amis, voire d'une amante ? En bref, se conduiront-ils comme s'ils avaient vingt ans de moins, avec la Terre promise juste derrière la crête ?

Le plus souvent, non.

Et dans le cas contraire, il vous faudra les ligoter au mât pendant que le navire largue les amarres parce que le chant des sirènes est terrible à entendre et qu'ils risquent de devenir fous à la pensée de ce qu'ils ont perdu.

Voilà pour le premier parti.

Un autre consiste à apprendre à jongler : à faire ce que nous avons fait durant neuf nuits. Cela fatigue rapidement les mains, si ce n'est le cœur.

Deux partis.

Le troisième consiste à refuser la passion tout comme l'on pourrait raisonnablement refuser l'accès de la maison à un léopard, aussi apprivoisé pût-il paraître au premier abord. On pourrait croire qu'il est facile de nourrir un léopard et que son jardin est suffisamment vaste, mais l'on sait au moins dans ses rêves qu'aucun léopard ne se satisfait jamais de ce qu'on lui donne. Après neuf nuits viendra la dixième et tout rendez-vous désespéré vous laisse seulement l'espoir du prochain. Il n'y a jamais assez à se mettre sous la dent, jamais assez de place pour votre amour.

Donc vous refusez et alors vous découvrez que votre demeure est hantée par le fantôme d'un léopard.

Lorsque la passion survient sur le tard, elle est difficile à vivre.

Une nuit supplémentaire. Ô combien tentante. Ô combien innocente. Je pourrais sûrement rester ce soir ? Quelle différence cela ferait-il, une nuit de plus ? Non. Si je sens l'odeur de sa peau, retrouve les courbes muettes de sa nudité, elle tendra la main et cueillera mon cœur comme un œuf au nid. Je n'avais guère eu le temps de recouvrir mon cœur de bernacles afin de lui échapper. Si je m'abandonne à cette passion, ma vraie vie, la plus solide, la mieux connue, s'évanouira et je me nourrirai de nouveau de néant comme ces esprits tristes que fuit Orphée.

Je lui souhaitai bonne nuit en ne touchant que sa main, reconnaissante de l'ombre qui voila ses yeux. Je ne dormis pas cette nuit-là, mais rôdai dans les ruelles obscures, consolée par la fraîcheur des murs et le clapotis régulier de l'eau. Le lendemain matin, je fermai ma maison pour ne plus jamais y revenir.

Et Henri ?

Comme je vous l'ai dit, pendant les premiers mois, je crus qu'il était redevenu lui-même. Il me demanda une écritoire et semblait déterminé à retracer sa vie depuis qu'il était parti de chez lui, ainsi que le temps passé avec moi. Il m'aime, je le sais, et je l'aime, quoique d'une manière incestueuse, comme une sœur. Il m'émeut, mais ne me brise pas le cœur. Il ne pourrait jamais me le ravir. Je me demande à quel point les choses seraient différentes pour lui si je lui rendais sa passion. Personne ne l'a fait et son cœur est trop grand pour sa frêle poitrine. Quelqu'un pourrait prendre son cœur et lui apporter la paix. Il disait qu'il aimait Bonaparte et je le crois. Bonaparte, plus grand que nature, qui l'entraîna à Paris, tendait la main vers la Manche et faisait croire à Henri et à ses grognards que l'Angleterre leur appartenait.

J'ai ouï dire que, lorsqu'un caneton ouvre les yeux, il s'attache à ce qu'il voit en premier, cane ou pas. C'est la même chose pour Henri : il ouvrit les yeux et il y avait Bonaparte.

Voilà pourquoi il le déteste tant. Il l'a déçu. La passion s'accommode mal de la déception.

Quoi de plus humiliant que de s'apercevoir que l'objet de son amour en est indigne ?

Henri est un homme doux et je me demande si ce n'est pas d'avoir tué ce balourd de cuisinier qui lui a troublé l'esprit. Il m'a confié, quand on traversait l'Europe à pied, qu'en huit ans d'armée il n'avait pas infligé une seule blessure à un autre homme. Huit années de campagnes et le pire qu'il ait fait se limitait à avoir tué plus de poulets qu'il ne pouvait compter.

Il n'avait rien d'un poltron cependant, il avait risqué sa vie maintes et maintes fois pour évacuer des blessés du champ de bataille. C'est Patrick qui me l'a dit.

Henri.

Désormais je ne lui rends plus visite, mais je lui fais signe du bateau tous les jours à la même heure.

Quand il se plaignait d'entendre des voix – celles de sa mère, du cuisinier, de Patrick – j'ai essayé de lui faire comprendre que les voix n'existent pas, hors celles de notre propre invention. Je sais que les morts se lamentent parfois, mais je sais également que les morts font tout pour attirer l'attention, et je l'ai exhorté à ne pas les écouter et à se concentrer. Dans un asile de fous, l'on doit se cramponner à sa raison.

Il a cessé de m'en parler, mais j'ai appris des gardiens qu'il se réveillait en hurlant toutes les nuits, les mains autour du cou, et qu'il manquait parfois de s'étrangler lui-même. Cela dérangeait ses compagnons d'infortune et ils le firent transférer dans une chambre à lui tout seul. Après quoi il devint beaucoup plus calme et se servit de son écritoire et d'une lampe que je lui avais portée. À cette époque, je m'employais encore à sa libération et ne doutais pas d'y parvenir. Je commençais à connaître les gardiens et j'avais dans l'idée que je pourrais acheter sa sortie contre de l'argent et certains plaisirs charnels. Mes cheveux rouges ont beaucoup de charme. Je partageais encore sa couche en ce temps-là. Il possédait un corps frêle de garçon qui couvrait le mien avec la légèreté d'un drap et, comme je lui avais appris à m'aimer, il m'aimait de son mieux. Il n'avait aucune notion de ce que les hommes font, il n'avait aucune notion de ce que son propre corps était capable de faire tant que je ne le lui eus pas montré. Il me donnait du plaisir, mais quand je regardais son visage, je savais que cela signifiait davantage à ses yeux. Si j'en étais troublée, je mettais cette pensée de côté. J'avais appris à prendre du plaisir sans me poser de questions.

Il advint deux choses.

Je lui annonçai que j'étais enceinte.

Je lui annonçai qu'il serait libre dans un mois environ.

– Alors nous pourrons nous marier.

– Non.

Je pris ses mains et tentai de lui expliquer que je ne me remarierais pas, qu'il ne pourrait pas vivre à Venise et que je ne voulais pas habiter la France.

– Et l'enfant ? Comment aurai-je des nouvelles de l'enfant ?

– Je te l'amènerai dès que tout danger sera écarté et tu reviendras à Venise quand il n'y aura plus de risque. Je ferai empoisonner Piero, je ne sais pas, nous trouverons bien un moyen. Il faut que tu rentres chez toi.

Il garda le silence et, quand nous fîmes l'amour, il posa ses mains sur ma gorge et sortit lentement la langue de sa bouche, tel un ver rose.

– Je suis ton mari, dit-il.

– Arrête, Henri.

– Je suis ton mari, et de se pencher vers moi, avec les yeux ronds, vitreux, et sa langue si rose.

Je le repoussai ; il se blottit dans un coin et fondit en larmes.

Il refusa de se laisser consoler et nous ne refîmes plus jamais l'amour.

Je n'y suis pour rien.

Le jour de son évasion arriva. Je vins le chercher, grimpai les marches deux par deux, ouvris sa porte avec ma clé comme je faisais toujours.

– Henri, tu es libre, viens.

Il me regarda fixement.

– Patrick était là il y a un instant. Tu l'as manqué.

– Henri, viens. (Je le mis debout et le secouai par les épaules.) Nous partons, regarde par la fenêtre, notre bateau nous attend. C'est le bateau d'apparat, j'ai encore dupé cet hypocrite d'évêque.

– Cela fait haut jusqu'en bas, fit-il.

– Tu n'as pas à sauter.

– C'est vrai ?

Ses yeux étaient inquiets.

– Aurons-nous le temps de descendre l'escalier ? Ne va-t-il pas nous rattraper ?

– Il n'y a personne pour nous rattraper. Je les ai soudoyés, nous sommes sur le départ et tu ne reverras plus jamais cet endroit.

– C'est ma maison, je ne peux pas partir. Que va dire mère ?

Je lâchai ses épaules et pris son menton dans ma main.

– Henri, nous partons. Viens avec moi.

Il ne voulut rien entendre.

Ni alors, ni plus tard, ni le lendemain, et quand le bateau prit la mer, j'étais seule à bord. Il ne vint même pas à la fenêtre.

– Retourne le voir, me dit ma mère. Il sera différent la prochaine fois.

Je retournai le voir, ou plutôt je me rendis à San Servelo. Un gardien courtois de l'aile élégante prit le thé avec moi et me notifia aussi aimablement que possible qu'Henri ne voulait plus me voir, qu'il avait expressément refusé de me voir.

– Que lui est-il arrivé ?

Le gardien haussa les épaules, une manière vénitienne de dire tout et rien.

Je revins des dizaines de fois, toujours pour être en butte à son refus et prendre le thé en compagnie du gardien courtois qui voulait devenir mon amant mais ne l'est pas devenu.

Bien longtemps après, alors que je me promenais en barque dans la lagune et que je dérivais en direction de son rocher solitaire, je l'aperçus penché à sa fenêtre. Je lui adressai de grands signes, il me répondit et je crus alors qu'il accepterait de me voir. Pas du tout. Ni moi ni le bébé, qui est une fille dotée d'une masse de cheveux pareille au soleil matinal et des pieds de sa mère.

J'y vais en barque tous les jours maintenant et il me fait signe, mais d'après les lettres qui me sont retournées je sais que je l'ai perdu.

Peut-être qu'il s'est perdu lui-même.

Quant à moi, je me prélasse encore dans les églises en hiver et sur les murets brûlants en été, et ma fille est intelligente et adore déjà voir rouler les dés et distribuer les cartes. Je ne peux pas l'arracher à la Dame de pique ni à aucune autre, elle tirera à la loterie en temps voulu et, à ce jeu, perdra son cœur. Comment pourrait-il en être autrement avec une chevelure si flamboyante ? Je vis seule. Je préfère qu'il en soit ainsi, bien que je ne reste pas seule toutes les nuits et que j'aille de plus en plus souvent au Casino afin de voir de vieux amis et de jeter un coup d'œil aux deux mains blanches dans le globe accroché au mur.

La chose précieuse et inestimable.

Je ne me travestis plus. Finis les uniformes d'emprunt. Seulement à l'occasion je ressens la nostalgie de cette autre vie, qui se vit dans l'ombre et à laquelle j'ai renoncé.

C'est la cité des déguisements. Ce que vous êtes un jour n'entravera pas vos projets du lendemain. Vous pouvez explorer votre être librement et, si vous possédez de l'intelligence ou de la fortune, personne ne se mettra en travers de votre chemin. Cette cité fut fondée sur l'intelligence et la fortune, et nous avons de la tendresse pour l'une et l'autre, bien qu'il ne soit pas nécessaire qu'elles apparaissent de concert.

Je conduis ma barque dans la lagune, j'écoute les cris des mouettes et je me demande où je serai dans huit ans, disons. Face à la douce obscurité qui dissimule l'avenir aux petits curieux, je me contente de cette réponse : je ne serai pas là où je suis. Les villes de l'intérieur sont vastes, ne figurent sur aucune carte.

Et la chose précieuse et inestimable ?

Maintenant que je l'ai recouvrée ? Maintenant que j'ai obtenu un sursis tel qu'il n'en existe que dans les contes ?

La remettrai-je en jeu ?

Oui.

Après moi le déluge.

Pas vraiment. Certains se sont noyés, mais d'autres s'étaient déjà noyés auparavant.

Il se surestimait.

Étrange qu'un homme finisse par croire aux mythes de sa propre invention.

Sur ce rocher, les nouvelles de France m'atteignaient à peine. Quelle différence cela ferait-il pour moi si j'étais chez nous, avec mère et mes amis ?

J'étais content quand ils l'exilèrent sur l'île d'Elbe. Une mort rapide en aurait fait instantanément un héros. Mieux valait que filtrassent des bruits sur son poids et son acrimonie croissante. Ils étaient malins, les Russes et les Anglais, ils ne se donnèrent pas la peine de le tourmenter, il leur suffisait de le discréditer.

Maintenant qu'il est mort, il redevient un héros et tout le monde s'en moque parce qu'il ne peut plus en tirer le moindre parti.

Je suis las d'entendre répéter l'histoire de sa vie. Il s'introduit ici, malgré la modestie des lieux, sans se faire annoncer et occupe la totalité de mes appartements. La seule fois où je suis content de le voir, c'est lorsque le cuisinier est là ; terrifié par sa présence, il s'en va sur-le-champ.

Ils laissent chacun leur odeur derrière eux ; celle de Bonaparte, c'est la volaille.

Je continue à recevoir des lettres de Villanelle. Je les lui retourne sans les ouvrir et n'y réponds jamais. Non que je ne pense à elle, non que je ne la guette tous les jours de ma fenêtre. Je me dois de la renvoyer parce qu'elle me cause trop de mal.

Il y eut un temps, il y a de cela quelques années, je pense, où elle voulut me faire quitter ce lieu, mais non pour être avec elle. Elle me demandait de retrouver la solitude, juste au moment où je m'en croyais sauvé. Je ne veux plus jamais être seul et je ne veux plus rien connaître du monde.

Les villes de l'intérieur sont vastes et ne figurent sur aucune carte.

Le dernier jour où elle vint fut celui de la mort de Domino et lui, je ne l'ai pas vu. Il ne me rend jamais visite.

Ce matin-là, je me suis réveillé et, à mon habitude, j'ai fait l'inventaire de mes possessions : la Madone, mes carnets, ce récit, ma lampe et mes mèches, mes plumes et mon talisman.

Mon talisman avait fondu. Seule restait la chaîne d'or, toute fine et scintillante au milieu d'une flaque d'eau.

Je l'ai ramassée et enroulée autour de ma main, suspendue d'un doigt à l'autre, et l'ai regardée glisser comme un serpent. J'ai su alors qu'il était mort, bien que j'ignorasse où et comment. J'ai mis la chaîne à mon cou, persuadé qu'elle la remarquerait quand elle arriverait, mais elle n'a rien remarqué. Ses prunelles étincelaient et ses mains promettaient la fuite. J'avais déjà fui avec elle, j'avais été un exilé accueilli dans sa famille et j'étais resté par amour. Les fous restent par amour. Je suis un fou. Je suis resté huit ans dans l'armée parce que j'aimais quelqu'un. On pourrait penser que cela devrait m'avoir suffi. Je suis resté aussi parce que je n'avais nulle part où aller.

Je reste ici par choix.

Cela signifie beaucoup pour moi.

Elle semblait croire que nous pourrions atteindre son bateau sans nous faire prendre. Avait-elle perdu la raison ? Il me faudrait tuer de nouveau. J'en serais incapable, même pour elle.

Elle m'a dit qu'elle allait avoir un bébé, mais elle a refusé de m'épouser.

Comment est-ce possible ?

Je veux l'épouser et ce n'est pas moi qui porte son enfant.

Il m'est plus facile de ne pas la voir. Je ne suis pas obligé de répondre à ses signes, j'ai un miroir et je me tiens légèrement sur le côté de la fenêtre quand elle passe et, si le soleil brille, je parviens à capter le reflet de ses cheveux. Il enflamme la paille par terre et je crois que l'étable sacrée doit avoir été plus ou moins approchante : glorieuse, humble et irréelle. Quelquefois, il y a un enfant dans le bateau avec elle, ce doit être notre fille. Je me demande comment sont ses pieds.

Excepté à mes vieux amis, je ne parle pas aux gens d'ici. Non parce qu'ils sont fous et que je ne le suis point, mais parce qu'ils renoncent si vite à toute contention d'esprit. Il est difficile de les contraindre à garder le même sujet et, quand par hasard j'y parviens, souvent ce n'est pas un sujet qui m'intéresse fort.

Qu'est-ce qui m'intéresse ?

La passion. L'obsession.

Je les ai côtoyées toutes les deux et je sais que la ligne de démarcation est aussi effilée et cruelle qu'une lame vénitienne.

Quand nous partîmes à pied de Moscou pendant l'hiver zéro, je croyais partir pour des cieux meilleurs. Je croyais montrer de l'initiative et laisser derrière moi les choses tristes et sordides qui m'avaient si longtemps oppressé. Le libre arbitre, disait mon ami le curé, appartient à tout un chacun. La volonté de changer. Je ne fais pas grand cas de la divination par le cristal ou les cartes. Je ne suis pas comme Villanelle, je ne vois pas des mondes cachés dans la paume de ma main ni l'avenir dans une boule trouble. Et pourtant, que devrais-je penser de cette gitane qui m'a abordé en Autriche et m'a tracé une croix sur le front en disant : « Déception dans ce que tu fais et solitude. »

Il y a eu des déceptions dans ce que j'ai fait et, ma mère et mes amis n'eussent-ils été présents, cet endroit serait d'une grande désolation.

Les mouettes crient à ma fenêtre. J'enviais leur liberté, à elles comme aux champs qui s'étiraient à portée de vue, de loin en loin. Toute chose naturelle bien à sa place. Je croyais qu'un uniforme de soldat ferait de moi un homme libre parce que les soldats sont respectés et les bienvenus, et qu'ils savent ce qui va se passer d'un jour à l'autre sans que le besoin d'aventure les tourmente. Je croyais que je rendais un service au monde, que je le libérais en me libérant par la même occasion. Les années ont passé, j'ai parcouru des distances qui dépassent l'entendement des paysans et j'ai trouvé que l'air était peu ou prou le même dans tous les pays.

Un champ de bataille ressemble à un autre.

Il y a beaucoup de discours sur la liberté. C'est comme le Saint-Graal ; on nous en rebat les oreilles à mesure que nous grandissons, il existe, nous en sommes convaincus, et tout le monde a sa petite idée sur son emplacement.

Mon ami le curé, malgré son attachement aux choses du monde, a trouvé sa liberté en Dieu, et Patrick l'a trouvée dans un esprit confus où les lutins lui tenaient compagnie. Domino affirmait que c'était dans le présent, dans l'instant seulement que l'on pouvait être libre, en de rares occasions et à l'improviste.

Bonaparte nous a enseigné que la liberté dépendait d'un bras armé, mais dans la légende arthurienne personne n'a conquis le Saint-Graal par la force. Ce fut Perceval, le doux chevalier, qui fit halte dans une chapelle en ruine et trouva ce qui avait échappé aux autres, simplement en restant en repos. Je crois aujourd'hui qu'être libre n'est pas être puissant ou riche, ou bien considéré ou encore dénué d'obligations, mais être capable d'aimer. Aimer un autre être suffisamment pour s'oublier, ne serait-ce qu'un moment, c'est être libre. Les mystiques et les gens d'Église parlent de rejeter le corps et ses désirs, de ne plus être esclave de la chair. Ils se gardent de dire que par la chair nous sommes délivrés. Que notre désir de l'autre nous élèvera plus sûrement que les choses divines.

Nous sommes un peuple indolent et notre aspiration à la liberté égale notre aspiration à l'amour. Si nous avions le courage d'aimer, nous ne priserions pas tant ces faits de guerre.

Les mouettes crient à ma fenêtre. Je devrais les nourrir, je garde mon pain du déjeuner afin d'avoir quelque chose à leur donner.

L'amour, dit-on, asservit, tout comme la passion est un mauvais génie, et beaucoup se sont égarés par amour. Je sais que c'est vrai, mais je sais également que, sans amour, nous tâtonnons dans le tunnel de l'existence sans jamais apercevoir le soleil. Lorsque je suis tombé amoureux, c'était comme si je me regardais dans un miroir pour la première fois. Je levais la main d'étonnement et tâtais mes joues, mon cou. C'était moi. Et quand je me fus bien regardé et que je commençais de m'habituer à ma personne, je n'ai pas craint de haïr des parties de moi parce que je brûlais d'être digne de celle qui tenait le miroir.

Alors, après m'être examiné pour la première fois, j'ai examiné le monde et j'ai découvert qu'il était plus divers et plus beau que je ne le pensais. À l'instar du commun des mortels, je goûtais les soirées chaudes, l'odeur d'un bon repas et les oiseaux qui griffent le ciel, mais je n'étais pas mystique ni un homme de Dieu, et je ne ressentais pas les transports décrits dans mes lectures. J'aspirais au sentiment bien que je ne le susse pas moi-même. Des mots tels que passion et transports, nous avons beau les apprendre, ils restent plats sur la page. Parfois nous tentons de les retourner, de voir ce qu'il y a au verso, et chacun de raconter une histoire de femme, de bordel, de nuit d'opium ou de guerre. Nous sommes remplis de crainte. Nous craignons la passion et nous nous gaussons d'un excès d'amour et de ceux qui aiment trop.

Et néanmoins nous aspirons au sentiment.

J'ai entrepris de travailler au jardin, ici. Personne n'y avait touché depuis des lustres, bien qu'on m'eût dit qu'il y poussait jadis des roses si parfumées qu'on pouvait les sentir de la place Saint-Marc quand le vent soufflait du bon côté. Pour l'heure, c'est un nid de broussailles. Les oiseaux n'y nichent plus. C'est un endroit inhospitalier et le sel rend difficile le choix des cultures.

Je rêve de pissenlits.

Je rêve d'un grand pré où les fleurs poussent librement. Aujourd'hui, j'ai biné la terre autour de la rocaille, puis je l'ai tassée de sorte à niveler le terrain. Pourquoi garder une rocaille sur un rocher ? Nous voyons assez de rocs.

Je vais écrire à Villanelle afin de lui demander des graines.

Comme il est étrange de penser que, si Bonaparte n'avait pas divorcé de Joséphine, le géranium n'aurait jamais été introduit en France. Elle aurait été trop occupée par lui pour développer son don incontestable pour la botanique. On raconte qu'elle nous a déjà rapporté une centaine de variétés de plantes différentes et que, si on lui en fait la demande, elle envoie des graines pour rien.

Je vais écrire à Joséphine afin de lui demander des graines.

Ma mère faisait sécher des graines de pavot sur le toit et, au moment de Noël, elle reconstituait des scènes de la Bible avec les têtes des fleurs. Je cultive ce jardin en partie pour elle ; elle se plaint de l'aridité du terrain, qu'il n'y a rien hormis la mer.

Mais je planterai de l'herbe pour Patrick et je veux une pierre tombale pour Domino, rien qui offusque les autres, juste une pierre dans un coin chaud après tout ce froid.

Et pour moi ?

Pour moi, je planterai un cyprès et il me survivra. C'est ce qui me manque avec la campagne, le sens de l'avenir en même temps que du présent. Q'un jour ce qu'on plante sort subitement de terre : une pousse, un arbre, juste au moment où l'on regarde ailleurs en pensant à autre chose. J'aime savoir que la vie me survivra, c'est un bonheur auquel Bonaparte n'a jamais été sensible.

Il y a un oiseau ici, un oisillon qui a perdu sa mère. Je la remplace et l'oiseau se blottit dans mon cou, derrière mon oreille, pour avoir chaud. Je le nourris de lait et de vers que je cherche à quatre pattes et, hier, pour la première fois, il s'est envolé. Il a volé depuis le sol où je plantais jusqu'à une épine. Il a chanté et j'ai tendu le doigt pour le reconduire à la maison. La nuit, il dort dans ma chambre, dans une boîte à cols. Je ne lui donnerai pas de nom. Je ne suis pas Adam.

Ce n'est pas un lieu aride. Villanelle, qui a le talent d'y regarder à deux fois, m'a appris à trouver mon bonheur dans les circonstances les plus contraires et à me laisser encore surprendre par l'évidence. Elle avait le don de vous redonner du courage rien qu'en disant : « Regardez cela, » et c'était toujours un trésor ordinaire ramené au jour. Elle est capable d'enjôler même les poissardes.

Donc je quitte mes appartements le matin et fais le voyage

jusqu'au jardin en prenant le temps de palper les murs avec mes mains, de m'imprégner des sensations de surface, de texture. Je respire bien, je hume l'air, et quand le soleil se lève, je tourne mon visage de son côté et l'offre à ses rayons.

Une nuit, j'ai dansé nu sous la pluie. Je n'avais jamais fait cela, jamais senti les gouttes glacées comme des flèches ni les modifications subies par la peau. À l'armée, j'avais bien été trempé jusqu'aux os un nombre incalculable de fois, mais pas de mon gré.

Rester sous la pluie de son gré n'a rien de comparable, quoique les gardiens en pensent. Ils me menacèrent de me séparer de mon oiseau.

Au jardin, alors que je dispose d'une bêche et d'une fourche, je pioche souvent avec mes mains s'il ne fait pas trop froid. J'aime sentir la terre, la presser de toutes mes forces ou l'écraser entre mes doigts.

Ici, on a le temps d'aimer lentement.

L'homme qui marche sur l'eau m'a demandé d'incorporer un étang dans mon jardin afin qu'il puisse s'exercer.

C'est un Anglais. Qu'est-ce que vous croyez ?

Il y a un gardien qui me porte de l'affection. Je ne demande pas pourquoi, j'ai appris à prendre ce qui se présente sans me poser plus de questions. Chaque fois qu'il me voit gratter la terre à quatre pattes d'une manière apparemment aléatoire mais qui est on ne peut plus scientifique, il s'en alarme, se précipite vers moi avec la bêche et propose de m'aider. Surtout, il me supplie d'employer la bêche.

Il ne comprend pas que je revendique la liberté de commettre mes propres erreurs.

– Vous ne sortirez jamais, Henri, pas tant qu'ils vous croiront fou.

Pour quelle raison voudrais-je sortir ? Ils sont tellement obnubilés par l'idée de sortir qu'ils manquent ce qui les entoure. Lorsque les gardiens de jour s'en vont dans leurs barques, je ne reste pas immobile à les suivre des yeux. Je me demande où ils vont et à quoi ressemblent leurs vies, mais je n'échangerais pas ma place contre la leur. Ils ont des visages gris et pitoyables même par les jours les plus ensoleillés, quand le vent fouette le rocher pour son seul plaisir.

Où irais-je ? J'ai une chambre, un jardin, de la compagnie et du temps pour moi. N'est-ce pas là ce que demande le peuple ?

Et l'amour ?

Je suis encore amoureux d'elle. Pas un jour ne point sans que je pense à elle, et quand le cornouiller rougeoie en hiver, je tends mes mains et m'imagine ses cheveux.

Je suis amoureux d'elle, et non d'une fantaisie, d'un mythe ou d'une chimère de mon invention.

Elle. Un être qui n'est pas moi. J'ai forgé Bonaparte autant qu'il s'est forgé lui-même.

Ma passion pour elle, même si elle n'a jamais pu me la rendre, m'a montré la différence entre se forger un amour et tomber amoureux.

La première alternative est tournée vers soi, la seconde vers l'autre.

J'ai reçu une lettre de Joséphine. Elle se souvient de moi et se propose de me rendre visite, bien que je ne croie pas que cela soit possible. Elle ne s'est pas formalisée de l'adresse et a joint à sa missive des graines de plusieurs variétés, dont certaines à cultiver en serre. J'ai des directives et dans certains cas des illustrations, quoique je ne sache pas trop quoi faire d'un baobab. Apparemment, cela pousse la tête en bas.

Peut-être est-ce l'endroit idéal pour un tel arbre.

On raconte que, lorsque Joséphine était aux mains de la Terreur à attendre la mort dans les geôles humides de la prison des Carmes, elle et d'autres dames de caractère cultivaient les mousses et les lichens qui recouvraient la pierre et réussirent à s'aménager, sinon un jardin, un coin de verdure où trouver la consolation. Est-ce vrai ou non ?

Peu me chaut.

Cette rumeur suffit à me consoler.

Dans cette cité des fous de l'autre côté de la lagune, ils préparent Noël et le Nouvel An. Ils ne font pas grand cas de Noël, à l'exception de l'Enfant-Roi, mais ils organisent une procession au Nouvel An, et les barques décorées sont visibles depuis ma fenêtre. Leurs lumières dansent sur les flots qui luisent comme de l'huile. Je reste debout toute la nuit, à écouter les défunts aux abords du rocher et à regarder les étoiles se déplacer dans le ciel.

À minuit, les cloches carillonnent dans toutes leurs églises et ils en ont au moins cent sept. J'ai voulu les compter, mais c'est une ville vivante et nul ne sait vraiment quels édifices subsistent d'un jour à l'autre.

Vous ne me croyez pas ?

Allez voir par vous-même.

Nous avons un service ici à San Servelo et c'est une séance des plus lugubres avec la plupart des pensionnaires enchaînés et les autres qui caquettent ou s'agitent au point que, pour ceux que cela intéresse, il est impossible d'entendre la messe. Je n'y vais plus désormais, ce n'est pas un lieu où se prélasser. Je préfère demeurer dans ma chambre et regarder par la fenêtre. L'année dernière, Villanelle est venue en bateau, aussi près qu'elle pouvait, et a lâché des fusées. L'une d'elles a explosé si haut que j'ai failli la toucher et, l'espace d'une seconde, j'ai cru que j'allais retomber derrière ces rais déclinants et la toucher elle aussi, encore une fois. Encore une fois, quelle différence cela ferait-il d'être de nouveau auprès d'elle ? Seulement celle-ci : si je me mets à pleurer je ne m'arrêterai plus.

J'ai relu mon carnet aujourd'hui et j'ai trouvé :

> Je dis que je suis amoureux d'elle. Qu'est-ce que cela signifie ?
>
> Cela signifie que je revois mon avenir et mon passé à la lumière de ce sentiment. C'est comme si j'écrivais dans une langue étrangère que je serais soudain capable de lire. Sans un mot, elle m'explique à moi-même. Comme tout génie, elle n'a pas conscience de ce qu'elle fait.

Je continue d'écrire afin d'avoir toujours quelque chose à lire.

Il va geler cette nuit, une gelée qui fera briller le sol et aiguisera les étoiles. Demain matin, quand je me rendrai au jardin, je le trouverai couvert de plaques de glace et d'étoiles de givre là où j'ai trop arrosé aujourd'hui. Seul le jardin gèle ainsi, le reste est trop salé.

J'aperçois les lumières des bateaux et Patrick, qui est avec moi, voit jusqu'à l'intérieur de Saint-Marc. Son œil fait toujours merveille, surtout depuis que les murs ne lui bouchent plus la vue. Il me décrit les garçons de chœur en rouge et l'évêque dans sa pourpre et ses ors et, sur le toit, l'éternel combat du bien et du mal. Ce toit peint que j'aime tant.

Il s'est écoulé plus de vingt ans depuis la fois où nous sommes allés à la messe à Boulogne.

Au beau milieu de la lagune, les bateaux avec leurs proues dorées et leurs lumières triomphantes. Un ruban chatoyant, talisman pour la nouvelle année.

J'aurai des roses rouges l'an prochain. Une forêt de roses rouges.

Sur ce rocher ? Sous ce climat ?

Je vous raconte des histoires. Faites-moi confiance.

Table

Réalisation : Nord Compo à Villeneuve-d'Ascq
Impression : CPI Firmin-Didot à Mesnil-sur-l'Estrée
Dépôt légal : octobre 2013 N° 0232 (119638)
Imprimé en France